LA MÉDECINE NATURELLE DES HOMMES

LA MÉDECINE NATURELLE DES HOMMES

Gilles A. Bordeleau

FORMA

Les collaborateurs :
Guy Bohémier (514) 468-0369
Pierre Des Lauriers (514) 667-3020
Daniel Filion (514) 385-9629
Pierre L. Gagneux (514) 744-4115
Jean Julien (819) 764-6779
Jean Lacombe (514) 522-1631
Michel Levasseur (514) 332-0382
Denis Letourneux (514) 438-1135
Maryse Mangin (514) 478-3270
Pierre Pelletier (514) 731-9906
Yuki Rioux (514) 524-7818
Bernard Voyer (514) 845-4376

Nous remercions :
L'Association pulmonaire du Québec - Denise Bertrand
La Fondation de recherche sur le SIDA (Québec) - Michel Roy

La Médecine naturelle des hommes
© Gilles A. Bordeleau, 1988
Tous droits de reproduction réservés

EdiForma
4380, rue Saint-Denis
Montréal, Qc
H2J 2L1
(514) 849-6178

Dépôt légal : 4e trimestre 1988
Bibliothèque nationale du Québec
ISBN: 2-920878-13-1

Imprimé au Canada / Printed in Canada
Octobre 1988

Pour rejoindre Gilles Bordeleau : (514) 688-8205

INTRODUCTION

Les hommes et les services de santé.

Patsy Wescott a écrit "La médecine naturelle des femmes"[1]. J'ai lu son livre avec grand intérêt et, en tant que naturopathe généraliste, je me suis dit qu'un livre similaire, mais cette fois écrit tout spécialement pour les hommes, susciterait tout autant d'intérêt et serait accueilli avec empressement par la gent masculine qui est tout aussi intéressée à prendre soin de sa santé que ces dames, même si parfois on se permet d'en douter.

Il est vrai, comme elle le dit si bien, que les femmes sont les plus grandes consommatrices des services de santé: c'est parce qu'elles possèdent une foule d'organes délicats qui peuvent se détraquer assez facilement, si elles n'y portent pas une attention constante et soutenue; mais il n'empêche que les hommes ont aussi des organes, tout aussi délicats, qui peuvent leur faire défaut, s'ils négligent trop longtemps de les vérifier et d'appliquer, à long terme, des traitements préventifs.

Généralement, de par sa nature, l'homme hésite plus longtemps à consulter un professionnel de la santé. Il ressent une petite douleur, un petit malaise et il se dit que ce n'est pas grave, que ce n'est que passager, que ça s'en ira comme c'est venu et qu'il sera toujours temps de consulter si ça réapparaît; il tergiverse ainsi avec lui-même et remet toujours à plus tard. Serait-ce qu'il a peur de découvrir la vérité? Serait-ce qu'il a peur de se voir contraint de changer ses mauvaises habitudes de vie: alimentation dénaturée, mauvaises combinaisons alimentaires, consommation excessive d'alcool, de tabac, etc.?

[1]Chez le même éditeur; La Médecine naturelle des femmes.

Les épouses disent souvent, de leurs maris, qu'ils prennent davantage soin de leurs voitures automobiles que de leurs corps. La raison en est, peut-être, qu'il n'existe pas encore de manuel s'adressant spécifiquement aux hommes leur indiquant les embûches à éviter pour jouir d'une santé florissante leur permettant de vivre agréablement jusqu'à un âge avancé.

C'est pourquoi, sans négliger ma pratique ni mettre de côté mes nombreuses autres activités, j'ai décidé d'écrire ce manuel d'instructions. J'y explique diverses techniques préconisées par la médecine naturelle, en espérant que les hommes auront plaisir à le lire et, le consultant fréquemment, en feront leur livre de chevet.

Je sais, et nous le savons tous d'ailleurs, qu'en ce siècle de trouvailles scientifiques mirobolantes, parler de médecine naturelle, c'est comme parler de la découverte des Amériques. Les hommes, influencés par la propagande médicale et pharmaceutique, tant à la télévision qu'à la radio et dans les journaux, ont tendance à croire et à répéter que les méthodes naturelles de soins préventifs et souvent, de guérison, sont des méthodes de charlatans, avec des remèdes de bonnes femmes et qu'il ne faut pas y croire. Loin de moi l'idée de discréditer qui que ce soit, mais je pourrais citer ici en exemples, des milliers de cas de soins préventifs réussis et même de guérisons par la médecine naturelle dite alternative.

Depuis quatre-vingt-huit ans seulement, en tenant compte que des politiciens et professionnels qui sont décédés prématurément et, trop souvent, dans la fleur de l'âge, des milliards de dollars ont été gaspillés au détriment de la collectivité. Ces hommes, morts entre trente et cinquante ans, qui avaient reçu une éducation et une formation coûteuses, auraient pu non seulement faire bénificier leurs contemporains de leur expérience et de leurs connaissances mais aussi, apporter une joie prolongée aux membres de leurs familles.

Afin de rassurer les sceptiques, je me dois de vous dire qu'aujourd'hui des médecins allopathes consultent, pour leur propre santé, des praticiens des méthodes naturelles et que plusieurs d'entre eux, favorisant ces mêmes méthodes, se sont groupés et ont formé une association dite de santé holiste c'est-à-dire qui s'occupe de toute la personne (corps et esprit) et pas uniquement des symptômes de la maladie.

Les médecines douces favorisent la santé, guérissent de nombreuses maladies et soulagent plusieurs maux pour lesquels il n'existe aucun remède. La médecine naturelle suit plusieurs idées directrices. En voici quelques-unes:

- Un équilibre délicat existe au sein de l'organisme; la maladie provient de ce que cet équilibre est rompu.
- En cas de maladie, le corps a la capacité de se guérir lui-même si on lui en fournit les moyens et si on lui accorde le temps qu'il lui faut.
- La maladie résulte toujours de notre mode de vie.

La médecine naturelle ne se résume pas au choix d'une thérapeutique qui ne soit pas conventionnelle. Elle porte un regard neuf sur la santé et la maladie et s'intéresse à l'aspect de notre vie qui a causé le déséquilibre conduisant à la maladie.La plupart du temps, on se rendra compte que c'est par notre propre faute que nous sommes malades et qu'il est grandement temps que l'on cesse de rejeter, commodément, la faute sur des microbes pathogènes qui nous parviendraient, selon les médias nationaux, de pays lointains comme Hong Kong ou la Patagonie. Si nous sommes malades, c'est parce que nous avons transgressé les lois de la nature ou de la vie.

Donc, reconnaissons-le une fois pour toutes, la véritable cause de toutes les maladies est la toxémie. Voici la définition de ce terme qui peut sembler nouveau à plusieurs:

Le processus de construction tissulaire (métabolisme) comprend la construction des cellules (anabolisme) et la destruction des cellules (catabolisme). Les tissus détruits sont toxiques et, lorsqu'on est en bonne santé c'est-à-dire quand l'énergie nerveuse est normale, ces tissus sont éliminés du sang aussi vite qu'ils sont produits. Quand l'énergie nerveuse est dissipée, quelle qu'en soit la cause (physique, surexcitation mentale ou mauvaises habitudes de vie), le corps devient énervé. Quand il devient énervé, l'élimination est retardée, causant une rétention des toxines dans le sang ou toxémie. Cette accumulation de toxines, quand elle s'établit, continuera jusqu'à ce que l'énergie nerveuse soit rétablie par la suppression des causes.

La soi-disant maladie est l'effort que fait la nature pour éliminer les toxines du sang. Toutes les pseudo-maladies sont des crises de toxémie.

La toxémie ou auto-empoisonnement est la première, la dernière et la seule maladie véritable que l'homme puisse développer.

Les microbes n'ont aucun rapport physiologique AVEC LA CAUSE de la maladie et ne peuvent pas être considérés comme étant plus qu'un incident dans la maladie.

La santé et la maladie appartiennent à l'ordre naturel et sont gouvernées par les lois de l'évolution.

La maladie n'existe pas d'elle-même. La maladie, c'est l'altération de la santé, provoquée par la rétention de déchets dans le sang à un tel degré que la résistance du corps est amoindrie.

Les toxines (déchets) présentes dans le sang provoquent une stimulation nécessaire. Si les toxines sont en quantité excessive dans l'organisme, elles produisent une sur-stimulation qui a pour conséquence l'énervation et l'ivresse organique, en un mot: la toxémie.

Alors, chaque prétendue maladie n'est autre chose qu'une crise de toxémie. La crise de toxémie est une manifestation de la nature qui s'efforce d'éliminer les toxines. Tout traitement qui entrave cet effort d'élimination fait échouer la nature dans son effort d'auto-guérison. Donc, pour résumer, la toxémie est un empoisonnement du sang causé par la rétention de cellules corporelles mortes en quantité dépassant la normale.

Comme je le disais plus haut, la théorie des microbes (la pasteurologie) est fausse. L'auto-empoisonnement du sang n'est pas causé DIRECTEMENT par les microbes. C'est la toxémie qui est la CAUSE ORIGINELLE de la maladie.

La maladie est donc créée par chacun, en dedans de soi. La maladie n'est pas nécessaire, excepté pour ceux qui n'ont pas le contrôle d'eux-mêmes. Il faudrait s'habituer à la modération en tout. La tempérance, en toutes choses, devrait être le but de l'homme qui se veut libre puisque toute interdiction engendre l'esclavage.

Le reste de cet ouvrage démontrera les vertus et les bienfaits de la médecine naturelle. La première partie vous montrera comment prendre soin de vous, de manière à préserver votre santé le plus longtemps possible. La seconde partie traitera des maladies qui affectent généralement les hommes et présentera les diverses options qu'offrent les médecines traditionnelle et naturelle. La troisième partie apportera quelques témoignages. La quatrième et dernière partie offrira une liste de différentes thérapeutiques naturelles et, en tout dernier lieu, un programme de contrôle du corps par la méditation.

PREMIÈRE PARTIE

Conserver la santé: favoriser le bien-être par la prévention.

Comme je le disais, plus haut, chaque prétendue maladie est créée dans l'esprit et dans le corps par des habitudes énervantes.

La vie mouvementée que nous menons est une cause d'énervation. Cette énervation retarde l'élimination; et les toxines retenues apportent la toxémie.

Quelles sont donc les principales causes d'énervation? Ce sont notamment: le froid, la chaleur, le stress, la digestion difficile ou laborieuse, l'effort physique ou mental, le bruit, les spectacles excitants et les discussions vives.

Les microbes, les virus, de même que la chaleur, le froid, les vêtements, les aliments, les boissons et tout autre objet de notre entourage, peuvent devenir un allié SECONDAIRE de la toxémie; mais aucun de ces objets ou éléments de notre entourage ne peut causer la maladie excepté s'il a la possibilité d'énerver le corps et de réprimer l'élimination des toxines. De ce fait même, ces éléments sursaturent le sang de cellules mortes, ce qui occasionne la maladie ou toxémie.

Les aliments nocifs, par eux-mêmes, n'empoisonnent généralement pas le corps; mais le corps dépense tant d'énergie nerveuse pour les neutraliser et les rejeter, qu'il retarde le travail d'élimination de ses propres déchets, c'est-à-dire les déchets du métabolisme. C'est justement l'accumulation de ces déchets métaboliques qui empoisonne le corps.

La production constante de toxines fait partie du processus normal de fonctionnement du corps. Quand l'énergie nerveuse est à son niveau normal, ces toxines sont éliminées dès qu'elles sont produites.

On constate donc que l'énergie nerveuse est essentielle au bon fonctionnement des différents organes du corps.

11

Nous venons donc, en quelques minutes, de découvrir, la vraie cause de toutes les maladies; il nous reste à voir comment nous devons nous y prendre pour éviter la rétention des toxines dans l'organisme. C'est ce qui s'appelle la prévention de la maladie.

Plusieurs thérapies naturelles naissent du principe que l'on nuit à sa santé en ignorant, en réprimant ou en niant ses besoins essentiels. Par contre, les médecines naturelles, pas plus que les autres d'ailleurs, ne résolvent pas les soucis financiers, ne changent rien à l'environnement pollué, au lieu où vous habitez, à votre travail ainsi qu'aux diverses causes qui ont favorisé la maladie; elles peuvent cependant contribuer à votre mieux-être et, de ce fait, vous aider à éliminer les toxines.

Il n'est pas nécessaire d'attendre que survienne une panne dans l'organisme pour apporter quelques ajustements à son mode de vie. Commencez par écouter vos besoins physiques, sociaux et spirituels. Il est primordial de s'alimenter sainement, de faire de l'exercice, de nourrir son esprit et de s'épanouir par ses occupations.

On définit généralement la santé par l'absence de maladie. Toutefois, sans être bien malade, lequel d'entre nous peut affirmer qu'il se sent en grande forme? Il n'est pas normal que la maladie occupe une place dans notre vie, pas plus qu'une carence chronique d'entrain et de vitalité. Le bien-être est accessible à tous, indépendamment de l'âge et des handicaps. On y accède en sachant qui l'on est et ce que l'on souhaite accomplir.

Apporter quelques changements

Qui dit changement dit action. Mais par où commencer? Il faut d'abord porter un regard critique sur sa vie. Il faut soupeser les différents aspects de son existence. Il ne suffit pas de veiller seulement au bon fonctionnement du corps en surveillant son alimentation et en faisant de l'exercice, il faut aussi considérer ses relations sociales, ses besoins intellectuels et spirituels. Ce dernier aspect de soi est plutôt difficile à saisir. Ces besoins furent traditionnellement regroupés sous la bannière religieuse. Depuis le déclin des églises institutionnalisées, les dimensions spirituelles de l'être humain sont souvent ignorées ou jugées frivoles. Que l'on soit ou non adepte d'une foi, il n'en demeure pas moins que l'on doit trouver un sens à sa vie.

En premier lieu,imaginez ce que serait votre existence si vous jouissiez d'une entière liberté; cette étape en est une de visualisation, au cours de laquelle vous ne devez exercer aucune censure. Si, depuis toujours, vous formulez le voeu d'aller vivre sur une île des Antilles avec deux chèvres pour seule compagnie, c'est le moment d'y songer. Plus tard, vous ferez la part du réalisme et de l'utopie. Toutefois, vous n'accomplirez rien de ce que vous souhaitez avant de l'avoir énoncé clairement.

Après avoir envisagé ce que vous souhaitez faire de votre vie, vous pouvez injecter au projet une dose de réalisme. Il sera utile de le faire par écrit. Déterminez vos objectifs. Écrivez ce que vous aimeriez faire dans cinq ans, dans un an, dans six mois, dans trois mois. Ainsi, vous pourrez mieux planifier et, qui plus est, vous exercerez un certain contrôle sur le temps. Le manque de temps pour accomplir ce que l'on souhaite vraiment est l'une des plus grandes causes de stress et, par conséquent, de maladie.

Lorsque vous avez établi votre programme, il faut le mettre en pratique. Vous aurez de meilleures chances d'y parvenir en ne perdant pas de vue ce qui suit:

- Soyez réaliste. Il ne vous est peut-être pas possible de trouver un emploi pour le moment (si telle est votre ambition) parce que vous n'avez pas la compétence, parce qu'il n'y a rien de disponible dans votre branche, peu importe la raison. Vous pourriez suivre un cours ou bien agir comme tuteur ou conseiller.
- Soyez pratique. A moins d'être extrêmement discipliné, vous ne parcourrez pas la ville en autobus, les soirs d'hiver, pour assister à un cours de tai chi. Cherchez cette activité, ou une autre, plus près de chez vous.
- Apprenez à vous connaître. Prenez vos forces et vos faiblesses en considération. Vous plierez-vous religieusement au jogging tous les matins, beau temps mauvais temps, ou vaudrait-il mieux pratiquer un autre exercice deux ou trois fois par semaine? A ce sujet, lisez le chapitre sur l'exercice.
- Ne sautez pas les étapes. Les changements positifs, ne serait-ce qu'un départ en vacances, comportent leur part

de stress. Ne devenez pas esclave de vos nouvelles habitudes de santé.

- Attendez-vous à quelques contretemps. Vous ne pourrez pas toujours atteindre vos objectifs, alors ne soyez pas trop sévère envers vous-même. Un revers ne signifie pas que vous ne valez rien. Peut-être avez-vous trop d'ambition? Faites autre chose ou révisez vos objectifs, s'ils sont trop élevés.
- Demandez l'assistance de votre entourage. Si vous décidez de méditer pendant vingt minutes chaque jour, faites comprendre à votre conjointe qu'il ne faut, d'aucune façon, vous déranger.
- Prenez garde de ne pas devenir fanatique. En toute chose, il faut éviter les excès.
- Vivez le moment présent. Débutez en faisant de petits changements que vous pourrez mener à terme. N'espérez pas une vie meilleure à moins de changer d'emploi, de cesser de fumer et de suivre un cours de conditionnement physique.
- Apprenez à écouter votre intériorité. Soyez conscient de vos sentiments. Vos rêves, votre intuition, vos envies, vos préférences, tous véhiculent un message à votre sujet. L'expérience vous apprendra à les considérer afin de prendre les décisions qui vous seront profitables.

Les obstacles au changement.

Modifier quelque chose n'est pas toujours facile. L'acquisition d'habitudes et de comportements est le fruit d'une longue progression.

Le risque est inhérent à toute volonté de changement. Plusieurs d'entre nous ne souhaitent pas les changements qu'entraînera leur propre désir de changer. Voilà pourquoi il faut conserver un certain équilibre et ne pas tenter de tout accomplir d'un seul coup. Plus avant dans cet ouvrage, il sera question d'autres obstacles au changement et des manières de les surmonter.

Il s'agit, aussi, d'employer à bon escient tous les facteurs naturels de santé qui sont: 1) l'alimentation; 2) l'eau; 3) l'air;

4) l'exercice contrôlé; 5) le soleil et la lumière; 6) le repos physiologique et mental.

Ces facteurs naturels de santé sont la base de notre vie. Nous devons apprendre comment utiliser chacun d'eux pour conserver ou renflouer cette énergie nerveuse si précieuse à notre santé car nous savons déjà que la base de la santé est un système nerveux normal.

Notre corps: quels sont les exercices et les diètes qui vous conviennent? Consultez les chapitres appropriés afin d'en savoir davantage. Avez-vous certains ennuis de santé à contrer? Les deuxième et quatrième parties traitent de ces sujets. Prenez garde de ne pas devenir un "athlète holistique": c'est celui qui saute d'une thérapie à l'autre en espérant que cela résoudra ses problèmes. N'oubliez pas que les changements véritables émanent de l'intérieur.

Notre esprit: trop de gens croient que les facultés mentales dégénèrent à mesure qu'on prend de l'âge. La recherche démontre pourtant que la dégénérescence cesse si on utilise sa matière grise. Les personnes en excellente condition physique négligent parfois leur santé mentale. On peut atteindre une bonne santé du corps par l'intermédiaire d'une bonne forme intellectuelle. A ce sujet, lisez la section sur les thérapeutiques physiques et spirituelles.

Les relations: on améliore la qualité de ses relations en précisant à sa conjointe ou à sa compagne ce que l'on attend d'une telle union et en dépoussiérant ses relations amicales afin d'éliminer celles qui ne sont plus satisfaisantes. On doit, pour cela, reconnaître en quoi on contribue à la rigidité de ces relations. Souvent, il faudra mettre un terme à une relation stagnante ou convenir des changements à apporter.

On peut y voir plus clair en faisant une psychothérapie, en cherchant une assistance socio-psychologique ou en explorant d'autres thérapies dites douces.

La vie spirituelle: diverses techniques dont le yoga, le tai chi, la méditation transcendantale, les activités créatrices telles la danse, le théâtre, la musique, la peinture, l'écriture, voire même la prière, favorisent la conscientisation de l'être et apportent un sens à la vie.

Bien que j'aie séparé ces divers constituants pour des raisons pratiques, ils existent en corrélation. On doit tendre à l'équilibre entre les divers aspects de sa vie. Les sections qui suivent vous aideront à y parvenir.

LE RETOUR AUX SOURCES

Être ce que l'on mange.

Dans plusieurs pays du monde, on souffre de sous-alimentation; dans plusieurs autres, spécialement en Amérique du Nord, on souffre de suralimentation.

La sous-alimentation produit, dans l'organisme, toutes sortes de maladies - dites de carence - de malformations et de déformations physiques et psychiques.

Dans les pays riches, où il existe une surabondance d'aliments, on rencontre aussi des carences car bien que les gens s'empiffrent de toutes sortes d'aliments, ceux-ci sont tellement dénaturés, par un excès de cuisson, de raffinage et d'addition de produits chimiques qu'ils ne contiennent presque plus rien de valable pour le maintien de la santé et partant, de la vie. Ces mêmes aliments sont tellement pauvres en vitamines et en sels minéraux, qu'au lieu d'apporter à l'organisme les éléments nutritifs nécessaires à la vie, ils puisent plutôt dans ses réserves et l'appauvrissent.

Je m'explique. Pour qu'un aliment soit digestible, il faut absolument qu'il contienne des vitamines et des sels minéraux naturels. Les vitamines sont des catalyseurs c'est-à-dire des agents qui hâtent et facilitent la digestion. Si ces vitamines naturelles ou catalyseurs sont absents de l'aliment ingéré, l'organisme ira puiser dans ses réserves et si ces réserves sont inadéquates, et en plusieurs cas il n'y a même pas de réserve (certaines vitamines, comme la vitamine C, ne sont pas stockées par l'organisme), l'aliment ne sera pas digéré ou il ne le sera qu'en partie et il s'ensuivra fermentation et indigestion.

La fermentation des aliments dans l'estomac ou dans l'intestin produit des gaz très toxiques qui empoisonnent littéralement les cellules. Celles-ci se défendent de leur mieux contre cette invasion mais, ce faisant, elle retardent l'élimination de leurs propres déchets. Alors, l'accumulation de ces toxines dans le sang a pour conséquence l'énervation, cause de la toxémie.

Comment pouvez-vous éviter tous ces troubles de la nutrition? En adoptant une méthode, une habitude d'alimentation saine et naturelle. Rejetons tous les produits qui ont été manufacturés, traités (maltraités), transformés, adultérés, chimifiés, hydrogénés, préservés et remplis de vitamines synthétiques. Adoptons plutôt des menus composés de fruits et de légumes crus en abondance en observant les BONNES COMBINAISONS ALIMENTAIRES (voir les deux livres de Lucile Martin Bordeleau sur ce sujet). Laissons tomber, dans la mesure du possible, la cuisson qui détruit les principes de vie dans les aliments. Abandonnons les pratiques énervantes comme celle de fumer; délaissons les produits qui violent nos cellules tels que le café, le thé, le cacao, les épices, les condiments forts de tous genres, les viandes de porc et la charcuterie, les boissons alcoolisées, fermentées, gazeuses, les conserves et les médicaments chimiques de toutes sortes... et j'en passe.

Quand nous aurons appris à nous soustraire aux influences nocives d'une publicité qui nous induit en erreur; quand nous aurons appris à contrôler nos goûts et nos passions; quand nous réaliserons que ce qui est simple, frugal et naturel est ce qu'il y a de plus profitable; alors seulement, nous jouirons d'une santé florissante, libres de tout malaise et de toute maladie.

Nous sommes ce que nous mangeons. L'alimentation est la pierre angulaire des médecines naturelles. Même s'il faut débourser davantage pour acheter des aliments entiers, exempts de tout additif, le coût en vaut la peine. On peut toujours contourner le problème de prix en achetant en quantité ou en devenant membre d'une coopérative alimentaire spécialisée en aliments naturels. Là encore, il faut faire preuve de discrimination. Même les aliments qui portent sur l'étiquette la mention "sans additifs" peuvent compter quelque agent de conservation. Par exemple, la farine d'une pizza qui serait vendue "sans additif". La farine blanche dont on se sert est bourrée de produits chimiques. De même, les petits pots d'aliments pour bébés dans lesquels on retrouve de la farine blanche et du sucre blanc. Quand on réalise que ces aliments sont ingurgités par des millions de bébés dans le monde; quand on pense que nos bébés sont nourris de ces poisons, faut-il se surprendre que, dès le plus jeune âge, ils commencent à avoir des troubles de santé? Et ces bébés d'hier sont nos hommes d'aujourd'hui.

PRENDRE OU NE PAS PRENDRE DE SUPPLÉMENTS?

On ne peut passer sous silence le fait que nous consommions trop de gras, de sucre raffiné et d'amidon, trop peu de fibres de fruits et de légumes frais.

Depuis cinquante ans, l'industrie alimentaire s'est développée et cette éclosion a favorisé l'apparition de produits qui requièrent moins d'espace de rangement, qui se conservent plus longtemps et qui demandent moins de temps de cuisson. Hélas, ce procédé de conservation détruit plusieurs éléments nutritifs essentiels. Nous, professionnels de la santé naturelle, disons que les méthodes actuelles d'agriculture et d'élevage privent de vitamines et de minéraux essentiels même ceux d'entre nous qui portent attention à leur alimentation. Les fruits et les légumes frais ont une valeur nutritive déficiente. Ils peuvent être contaminés par le plomb dans l'atmosphère et par l'aluminium des ustensiles. Cela peut entraîner des carences ou des excès qui peuvent à leur tour causer bien des maux. Comme je le disais dans mon premier livre: "Vivre en Santé après quarante ans", plus on vieillit, plus on a besoin de vitamines et de minéraux et, à cause de la carence de ces éléments, dans nos aliments, nous avons besoin de suppléments alimentaires. A ce propos, il existe de nombreuses preuves scientifiques et je ne veux en citer qu'une: le Dr Michael Colgan, chercheur scientifique en matière d'alimentation, a commencé ses recherches par une analyse d'échantillons d'oranges qu'il avait achetées dans des supermarchés. Certaines de ces oranges ne contenaient pas la moindre trace de vitamine C. Par contre, celles qu'il avait cueillies sur l'oranger de son jardin, contenaient jusqu'à quatre-vingts milligrammes de cette vitamine. Ceci ne constitue qu'un exemple parmi des centaines d'autres et nous incite à préconiser l'ingestion régulière de vitamines et minéraux sous forme de suppléments alimentaires.

Il existe peut-être une controverse à ce sujet mais, à ma connaissance, il n'y a que les hygiénistes pour prétendre que l'on peut trouver tous les éléments nécessaires à notre santé dans une alimentation saine et équilibrée. Mais, s'il est prouvé que les aliments eux-mêmes sont désiquilibrés, où se trouve, maintenant, l'équilibre? Je vous laisse le soin de tirer vos

propres conclusions. Pour ma part, je prends certains suppléments alimentaires essentiels et j'en conseille à ceux qui me le
demandent. Évidemment, ces suppléments doivent être prescrits d'après les besoins particuliers d'un individu. Une étude
de ses habitudes alimentaires, une correction de ces dernières et
des recommandations particulières sont nécessaires; après,
seulement, vient l'établissement d'un programme adéquat de
suppléments. Tout ceci, évidemment, n'est pas à la portée de
l'homme de la rue et je vous incite donc, si vous en sentez le
besoin, à consulter un professionnel de la santé, spécialiste en
nutrition. Afin de vous aider à prendre la bonne décision à ce
sujet, je vais tenter de répondre, pour vous, à la question suivante:

Ai-je besoin de suppléments alimentaires?

Vous hésitez peut-être devant la réponse. Si vous faites partie
de l'un des cas suivants, vous avez besoin de suppléments:
- Ceux dont l'alimentation est désiquilibrée i.e. ceux qui ne
  mangent jamais de fruits et de légumes crus et ceux qui
  excluent de leur diète quotidienne certains aliments de
  base.
- Ceux qui suivent un régime amaigrissant, surtout s'ils
  consomment moins de mille deux cents calories par jour.
  En pareil cas, ils pourraient manquer de vitamines A, C,
  B_6 et de minéraux tels le calcium, le fer, le magnésium.
- Les fumeurs et les buveurs d'alccool invétérés. Il leur faut
  alors une dose supplémentaire de vitamines C, B_6, B_{12},
  de thiamine, de riboflavine, d'acide folique, de magnésium et de zinc.
- Ceux qui ont plus de soixante ans, particulièrement si leur
  alimentation est incomplète pour des raisons budgétaires,
  à cause d'un handicap ou d'une santé chancelante. (Voir:
  "Vivre en Santé après quarante ans", du même auteur).
- Ceux qui prennent un médicament pour soigner une
  maladie chronique. Par exemple, de la cortisone qui
  appauvrit les réserves de calcium.
- Ceux qui consomment régulièrement des médicaments
  sans ordonnance. Exemple: l'aspirine exige un taux plus
  élevé d'acide folique, de vitamine C et de fer.

- Si vous avez récemment souffert de maladie ou si vous êtes convalescent. Les maladies privent l'organisme d'éléments nutritifs essentiels.

Conseils avant de prendre un supplément alimentaire

- Ne prenez pas un supplément vitaminique et/ou minéral sans demander l'avis d'un professionnel de la santé.
- Prenez toujours le supplément pendant ou après le repas.
- Si vous achetez un supplément multivitaminique et minéral, choisissez-en un qui offre un large assortiment d'éléments nutritifs.
- Ne croyez pas que seuls des suppléments de vitamines et de minéraux rétabliront le déséquilibre causé par de mauvaises habitudes alimentaires.
- Dans le doute, encore une fois, consultez un praticien compétent.

Suggestions pour améliorer son alimentation

Que devez-vous manger? Comment vous assurer d'un régime équilibré? Les conseils suivants vous permettront de vous y retrouver. J'ai dressé une liste de vitamines et minéraux, pour que vous en appreniez l'usage.

- Consommez davantage de céréales entières, de riz sauvage, de pain de blé entier, de pâtes de blé entier ou de sarrasin.
- Mangez beaucoup de fruits et de légumes frais.
- Mangez davantage d'aliments crus. Au moins soixante pour cent de nos aliments ne devraient pas être cuits.
- Évitez de conserver les aliments trop longtemps. Les fruits et les légumes perdent vite leurs éléments nutritifs et les autres aliments peuvent développer des bactéries durant la période d'entreposage.

- Mangez le moins possible de gras animal tel qu'on le retrouve dans les viandes rouges, les fromages à pâte ferme, etc.
- Mangez davantage de viande blanche, de volaille et de gibier comme le lapin.
- Achetez des huiles polyinsaturées telle l'huile de tournesol. Il ne faut jamais faire chauffer les huiles. Ajoutez-la aux aliments une fois qu'ils sont cuits.
- Évitez la friture. Faites plutôt des grillades au four, des bouillis ou des aliments cuits à la vapeur.
- Évitez les sucreries, les gâteaux, les tartes, les biscuits et desserts de toutes sortes.
- Mangez davantage de poisson à faible teneur en gras. Les huiles de poisson, si elles n'ont pas été chauffées, semblent assurer une protection contre les maladies du coeur.
- Mangez davantage de protéines végétales dont les haricots, les pois chiches, les noix et les graines, la luzerne, le tofu. Incidemment, la valeur protéique des légumes à gousse est multipliée si on les combine à des céréales, par exemple du riz sauvage.
- Ne mangez pas d'aliments raffinés.
- Ne buvez ni café, ni thé, ni cacao, ni boissons gazeuses. La caféine qu'ils contiennent stimule la sécrétion d'acide dans l'estomac. Elle entrave l'assimilation de certains éléments nutritifs: la vitamine B_1, la thiamine. De plus, c'est une drogue qui provoque l'accoutumance. Un des symptômes d'abstinence est le mal de tête. Elle augmente aussi la tension artérielle, le taux de coagulation du sang augmentant alors le risque d'une thrombose coronarienne. Elle diminue le niveau de la lipase, enzyme qui élimine le gras du sang. Les personnes qui boivent plus de cinq tasses de café par jour courent plus de risque d'avoir un cancer de l'estomac ou de la vessie. Finalement, la caféine aggrave l'hypoglycémie et le diabète en augmentant le taux de sucre sanguin.
- Buvez plutôt des tisanes, des jus de fruit, de l'eau de source ou, encore mieux, de l'eau distillée soit par la chaleur ou soit par osmose inversée. Au café, substituez les breuvages à base de céréales grillées; au thé, la feuille de rooëbush: c'est un arbuste qui pousse en Afrique du Sud et dont la feuille séchée, une fois infusée, donne presque

le goût du thé. Au cacao, la caroube: elle provient d'un arbre, le caroubier, et appartient à la famille des légumineuses. Dans le commerce, on la trouve sous diverses formes: en poudre, en pépites ou en tablettes. Elle possède un goût semblable au chocolat mais ne contient pas de caféine. Pour ne nommer qu'un de ses nombreux avantages, elle contient trois fois plus de calcium que le chocolat et est dix-sept fois moins grasse.

S'adapter à une diète mieux équilibrée se fera d'autant plus facilement que vous procéderez lentement. Goûtez à de nouveaux aliments lorsque vous êtes détendu. Souvenez-vous que l'atmosphère entourant le repas importe autant que la nourriture. Libérez votre esprit de toute contrainte avant de passer à table.

Les additifs alimentaires

Les aliments frais créent des ennuis aux dirigeants de l'industrie alimentaire. Leurs formes, leur couleur et leur grosseur ne sont jamais uniformes; ils se défraîchissent et de la perte de fraîcheur naît une odeur désagréable; rien n'est alléchant à moins d'avoir été cueilli le matin même. Que faire alors? On transforme les aliments. Cependant, les procédés de transformation détruisent plusieurs éléments nutritifs essentiels que l'on remplace ensuite par leurs substituts synthétiques auxquels s'ajoutent les colorants, les saveurs artificielles, les agents de conservation conçus pour aviver le goût des aliments et les rendre plus alléchants.

On doit ajouter, à la liste ci-dessus, tous les engrais chimiques, les pesticides, les fongicides, les herbicides et les insecticides que des agriculteurs inconscients déversent sur leurs champs par milliers de tonnes, chaque année. Ces derniers sont encouragés par les grandes corporations chimiques qui ne voient que leur profit au détriment de notre santé.

Voici un exemple entre mille. Les pesticides les plus populaires, de nos jours, sont les organophosphates. Peut-être que le plus populaire d'entre eux est le parathion. Cette substance remarquable, qui avait été développée par le Pentagone pour servir de gaz nervin, a tué deux enfants qui prenaient leur bain dans une maison où on avait vaporisé du parathion plusieurs jours auparavant. Une seule goutte de parathion pur dans un oeil peut tuer. D'autres enfants qui avaient joué avec des sacs ayant contenu du parathion sont morts et un enfant qui en avait avalé deux milligrammes est mort, lui aussi.

Ce pesticide est largement employé dans les endroits où on cultive les fruits. En Floride, ce pesticide, combiné avec d'autres tous aussi populaires, a produit l'infertilité chez les hommes, des fausses-couches chez les femmes et des difformités du foetus. Le parathion a tué plus de monde que tous les autres pesticides réunis.

On compte au moins trois mille cinq cents additifs dans les aliments vendus dans le commerce. De ceux-ci, seulement quatre cents environ ont subi des tests permettant de régir légalement leur usage. Plusieurs ont été bannis d'autres pays pour raisons de santé. On soupçonne quarante de ces additifs alimentaires, en milieu officiel, d'être la cause directe de nombreux cancers. J'ose aller plus loin et dire que tout produit chimique ajouté à nos aliments est et sera la cause prochaine ou lointaine d'un cancer. J'aimerais citer, ici, quelques exemples de la pollution de nos aliments par les produits chimiques. Il n'y a rien comme de pouvoir pointer du doigt ces assassins sournois.

La farine blanche, que la majorité de nos femmes et de nos mères emploient, contient: des oxydes d'azote, du bioxyde de chlore, du chlorure de nitrosyl, du peroxyde de benzoëde, et je vous fais grâce des autres. En tout, 2,5 livres ou 1,134 kg de produits chimiques par million de livres ou 453 600 kg de farine.Au fromage, pour lui donner sa couleur orange, on ajoute du rouge soudan (un colorant chimique). On ajoute au vin, pour le stabiliser au cours de son transport à travers l'océan, du fluorure de sodium et du ferrocyanure. On mange des "hot dog" à l'acide phosphorique; des poissons à l'ammoniaque quaternaire; de la viande au sulfite de sodium; de la margarine au diacétyle; des petits pois au sulfate de cuivre, des saucisses au nitrate de potasse et l'on pourrait allonger la liste sur des pages et des pages.

Des milliers de mortalités dues au cancer surviennent chaque année et les additifs chimiques en sont la cause. Ce que je mange renouvelle mes cellules, entretient le moteur de ma vie, influe sur mon caractère, sur mes sentiments, sur mon intellect, sur ma santé physique et mentale.

Chaque cellule de notre corps est un centre de force et n'a de raison d'être que dans l'organisme où elle se trouve opportunément. C'est pour cette raison que chaque cellule étrangère à notre corps y occasionne une certaine perturbation. Les produits chimiques que nous absorbons avec nos aliments occasionnent des dommages physiques, psychiques et spirituels sous forme de maladies.

Les gâteries dont raffolent les enfants (croustilles, jujubes, glaces, orangeade concentrée, sodas) présentent un taux très élevé d'additifs chimiques. Les petits peuvent en être particulièrement affectés. Leur système immunitaire est plus démuni face à de tels poisons qui auront une plus grande répercussion. L'eczéma, l'asthme, le diabète, l'hyperactivité, la diarrhée, les douleurs stomacales, les accès de colère, la rhinite, les ulcères buccaux, ne sont que quelques-uns des malaises que les chercheurs attribuent aux additifs alimentaires.

Un additif très largement répandu et que l'on a tendance à oublier ou négliger est le sel de table que l'on retrouve dans la plupart des plats cuisinés en usine. Ce produit chimique, parce que c'en est un, passe souvent inaperçu tellement on est habitué à le voir mais il n'en fait pas moins certains ravages dans notre organisme.

J'ai tiré, ce qui suit, d'un livre américain que j'ai récemment traduit "LE GUIDE ALIMENTAIRE DU COUREUR DE MARATHON", des Éditions Guy St-Jean, Laval:

"Depuis de nombreuses années, des études ont été faites et les résultats ont montré que le sel est dangereux pour la santé. Des études contradictoires ont toutefois démontré qu'un organisme en santé peut contrôler de grandes quantités de sel, excepté dans certains cas. Donc, la consommation de sel (si elle n'est pas excessive) n'a pas besoin d'être sévèrement limitée. Il y a, pourtant, certains effets néfastes du sel sur lesquels on s'entend presque universellement:

• Le sel peut perturber l'équilibre naturel sel/ eau et causer de l'oedème (gonflement des tissus). Quand une quantité excessive de sel est consommée, le corps s'équilibre en retenant plus d'eau dans les tissus. Ceci a pour effet de faire gonfler les tissus entre les capillaires sanguins, exerçant une pression sur leurs parois. Cette pression rend plus difficile le transport de l'oxygène entre les vaisseaux et oblige le coeur à travailler plus fort pour pomper le sang dans les vaisseaux rétrécis.

- Le sel peut contribuer à l'hypertension. Même si les raisons exactes n'en sont pas connues, plusieurs études ont démontré une corrélation entre les deux. Plusieurs experts s'accordent pour dire qu'une combinaison de facteurs incluant le sel, un excès de gras, une insuffisance d'hydrates de carbone complexes, l'histoire familiale, la race, l'âge, l'obésité, le tabagisme, le stress et la diète conduisent à l'hypertension artérielle."

Nous apprenons, en biologie, que les produits chimiques de synthèse ne sont pas acceptés par un organisme vivant et qu'ils peuvent être soit rejetés, soit accumulés dans certains organes, comme dans les tissus adipeux et là, ils peuvent contrevenir à l'assimilation par l'organisme des éléments nutritifs contenus dans les aliments. Certains détruisent systématiquement la vitamine B_1, pourtant essentielle au fonctionnement du système nerveux. D'autres s'attachent aux éléments nutritifs, par exemple le fer et le calcium, de sorte que l'organisme ne puisse les assimiler. Il n'est donc pas étonnant qu'autant de malaises soient liés à l'alimentation. Cette situation démontre à quel point nous exerçons peu de contrôle sur nos vies.

Que faire pour contrer ce problème? D'abord, consommez autant d'aliments frais que possible, lisez les étiquettes des produits que vous achetez et rejetez ceux qui contiennent des additifs chimiques. Fréquentez les magasins d'aliments naturels.

L'irradiation des aliments: un autre danger?

Les grondements de colère provoqués par l'ajout d'additifs alimentaires ont forcé l'industrie à explorer d'autres avenues en matière de conservation. En Hollande, on a recours aux rayons-X afin d'empêcher les aliments de se défraîchir. Au Canada, vient de poindre à l'horizon le spectre de l'irradiation des aliments. Déjà, deux Centres de recherches et d'irradiation ont été établis au Québec: le premier, le 'CRASH', à St-Hyacinthe et le deuxième, à l'Institut Armand-Frappier, à Laval. Or, selon Michel Legault, rédacteur en chef de la revue de santé "Vitalitus", il ne faut pas oublier que le Canada a des intérêts de longue date dans l'industrie nucléaire. Or, cette dernière doit trouver des moyens de se débarrasser des sous-produits du fonctionnement de ses réacteurs Candu. Un de ceux-là est le cobalt 59, une matière radio-active qu'on cherche à imposer aux consommateurs comme moyen de conserver les aliments. Donc, toujours d'après Michel Legault, il est facile de se perdre dans les ramifications incroyables de ce dossier et il est nécessaire d'avoir en tête les faits suivants:

- Nous n'avons pas besoin de l'irradiation. Il existe plusieurs autres moyens de conserver les aliments ou d'empêcher leur germination.
- C'est un procédé qui n'est pas sûr. Aucune expérience à long terme n'a été effectuée sur des humains en vue d'en démontrer la sécurité.
- C'est nuisible. Au point de vue nutritif, ce procédé occasionne des pertes notables de vitamines dans des fruits et légumes frais, préservés jusque-là de toute altération chimique.
- C'est encourager l'industrie nucléaire, qui est d'abord une industrie d'armement.

Il est maintenant reconnu scientifiquement que l'irradiation entraîne la perte de thiamine (B_1), d'acide folique et des vitamines C, K et E. Qui plus est, l'irradiation peut modifier la composition ainsi que le goût des aliments, de sorte que l'usage d'additifs pourrait s'avérer nécessaire.

On parle même d'un risque plus élevé de contamination si on a recours à ce procédé. L'irradiation peut masquer les signes de dépérissement des aliments. Elle peut aussi produire des substances chimiques qu'on ne retrouve pas dans les aliments à l'état naturel.

Quels seront les aliments les plus touchés? Principalement les céréales, les épices, les fruits, les légumes, le poulet, les crustacés et certaines viandes.

Devenir végétarien

D'ordinaire, les adeptes du végétarisme jouissent d'une bonne santé. Le taux d'incidence du cancer du côlon et du rectum est beaucoup moins élevé chez les végétariens. D'ailleurs, les risques de cancer sont réduits chez tous ceux qui ne mangent pas de viande et leur préfèrent les fruits et les légumes crus.

Une étude réalisée récemment par un groupe de naturo-pathes australiens portait sur l'aspect nutritionnel des nouveaux végétariens convertis pour des raisons de santé. On s'intéressa au mode de vie, à la nutrition, au taux d'incidence des maladies; on leur fit des tests sanguins et biochimiques. Ces nouveaux végétariens comptaient un taux élevé de vitamines C, B_2 et de beta-carotène (ce qui peut expliquer pourquoi les végétariens résistent mieux au cancer). Mais, par contre, les taux de vitamines B_1 et B_{12} étaient peu élevés. Parmi ces végétariens, la clientèle à risque consommait des aliments vite préparés. La réponse semble passer par une alimentation équilibrée en s'assurant d'avoir suffisamment de vitamines et de minéraux. Mais, attention! Tous ne peuvent et/ou ne doivent pas devenir végétariens. Selon le Dr. James D'Adamo, célèbre naturopathe reconnu internationalement, ce qui peut être une bonne nourriture, pour une personne, peut être un poison, pour une autre. Par exemple, si vous êtes du groupe sanguin "O", vous devriez manger de la viande pour être en bonne forme hysique. De toute façon, si vous constatez, chez vous, le moindre symptôme anormal, il faudrait consulter un-e nutritioniste reconnu-e afin de vous enquérir des avantages qu'offrent les suppléments alimentaires.

Tableau des vitamines et des minéraux

Les vitamines sont des substances organiques indispensables que notre organisme est incapable de synthétiser. Ce sont des régulateurs très précis du fonctionnement de l'organisme. Elles sont un des six éléments essentiels à une bonne alimentation équilibrée.

Les vitamines sont nécessaires à la bonne utilisation des autres aliments. Leur absence ou leur insuffisance entraîne de graves maladies de carence.

Les vitamines nous proviennent surtout des fruits et des légumes et elles y sont en plus grande quantité lorsqu'ils sont crus et frais.

On en trouve aussi dans les céréales et leurs dérivés, dans les graines, dans le foie de poisson (huile de foie de flétan), dans les abats de boucherie (rognon, cervelle, foie), dans le lait, le beurre, le jaune d'oeuf et dans les levures naturelles. Malheureusement, à cause de la cuisson, de l'emploi d'engrais chimiques, d'insecticides, de pesticides et de la conservation prolongée en entrepôt et sur les étalages des magasins, les aliments, lorsqu'ils arrivent finalement dans notre assiette, ont perdu beaucoup de leur valeur nutritive.

Vitamine A (soluble dans le gras)
Sources: foie, fromages, oeufs, carottes, navets, légumes verts, tomates, haricots séchés, huiles de foie de poisson.
Actions: pour une meilleure ossature, la dentition, la vue; combat l'infection et la sécheresse des cheveux, aide à résister au cancer.
Signes de carence: troubles visuels, caries dentaires et infections, augmentation de la réceptivité aux affections catarrhales des voies respiratoires, les rhinites et les rhinopharingites, les affections cutanées, les cheveux ternes, secs et cassants, les troubles de la croissance des ongles, les lithiases salivaires, hépatiques et urinaires et plusieurs autres.

Vitamine B1 Thiamine (soluble dans l'eau)
Sources: riz sauvage, céréales et pain complets, porc, foie, pois, graines, noix, mélasse, levures alimentaires.
Actions: favorise la digestion, la circulation sanguine, le tonus musculaire, la vue, le coeur, la chevelure, le cerveau, le système nerveux, aide à combattre la douleur.
Signes de carence: perte d'appétit, fatigue, irritabilité, douleurs dans les muscles des mollets, sénilité et détérioration mentale.

Vitamine B2 Riboflavine (soluble dans l'eau)
Sources: épinards, légumes verts, céréales complètes, riz sauvage, fèves soja, viande, fromages, foie, rognons, poissons, mélasse, levures alimentaires.
Actions: combat l'infection, favorise la formation des globules rouges, aide l'organisme à transformer les protéines, aide la vision.
Signes de carence: brûlement et sécheresse des yeux, des lèvres et des pieds, désordre de la cornée, squamosités autour du nez, du front et des oreilles. Les tremblements, les

étourdissements et la lourdeur peuvent aussi être attribués à une insuffisance en riboflavine.

Vitamine B3 ou Nicotinamide (soluble dans l'eau)

Sources: blé, produits de blé entier, germes de blé, arachides, oeufs, viande, poisson, levures alimentaires, foie, lentilles.

Actions: favorise la circulation sanguine, aide à réduire le taux de cholestérol. Pour la santé de la chevelure, du cerveau, du coeur et des organes internes. Favorise la production des hormones sexuelles.

Signes de carence: troubles nerveux, perte de mémoire, engourdissement de certaines parties du corps, douleurs abdominales, éruptions cutanées, une langue enflée, luisante et d'un rouge vif.

Vitamine B6 ou yridoxine (soluble dans l'eau)

Sources: foie, boeuf, huile de poissons, aliments à base de céréales complètes, germe de blé, noisettes, arachides, mélasse, pruneaux, avocats, raisins, bananes, choux, légumes verts, carottes.

Actions: aide à combattre l'infection, favorise l'assimilation du magnésium et de l'acide linoléique, aide à maintenir l'équilibre entre le sodium et le potassium. Favorise la santé du sang, des nerfs, des muscles et de la peau.

Signes de carence: lésions cutanées érythémateuses séborrhéiques, spécialement localisées autour du nez et de la bouche.

Vitamine B12 (soluble dans l'eau)

Sources: foie, rognons, coeur, oeufs, hareng, maquereau, truite, saumon, thon, petit lait, fromage à la pie et autres, luzerne, aloès.

Actions: favorise le développement cellulaire, facilite l'assimilation du fer, la transformation des gras, des hydrates de carbone et des protéines; prévient l'anémie pernicieuse.

Signes de carence: dégénérescence des nerfs, asthme, désordres cutanés, bursite, désordres vasculaires.

Acide folique (soluble dans l'eau)

Sources: feuilles vertes des légumes verts, foie, rognons, muscles, huîtres, concombres, asperges, produits laitiers, bananes.

Actions: pour la santé du sang (prévient l'anémie), du système glandulaire et du foie, favorise la circulation sanguine, la croissance cellulaire et stimule l'appétit.

Signes de carence: dysfonctionnement intestinal, anémie.

Vitamine B5 ou acide antothénique (soluble dans l'eau)

Sources: foie, rognons, coeur, jaune de l'oeuf, germe de blé, lait, fromage, épinards, pommes de terre, soja, levures, gelée royale, champignons.

Actions: débarrasse l'organisme des poisons. Favorise l'assimilation des vitamines et combat le stress. Pour la santé des glandes surrénales, des systèmes digestif et immunitaire, des nerfs et de la peau.

Signes de carence: troubles cutanés (alopécie et canicie), troubles respiratoires, troubles digestifs, troubles neuro-musculaires.

Vitamine C (soluble dans l'eau)

Sources: légumes verts, pommes de terre, agrumes, cassis, cerises acérolas, cynnorrhodon, paprika, fruits frais.

Actions: favorise la digestion et la cicatrisation, prévient l'épanchement de sang, accentue la résistance à la toux et au rhume, soulage les infections, possède un grand pouvoir de détoxication. Pour la santé des glandes surrénales, du sang, des vaisseaux sanguins, de la peau, des os, des dents et des gencives. Combat des poisons tels que: le DDT, le plomb, les additifs chimiques et autres substances toxiques que l'on trouve dans notre nourriture et spécialement le fluorure de sodium qu'on nous force à boire dans notre eau dite potable. En prendre surtout si on fume, si on boit de l'alcool ou si on est stressé. Elle peut aider à soulager le cancer.

Signes de carence: ecchimoses faciles, gencives spongieuses, dents branlantes, douleurs dans les os, asthénie, propension à la fatigue, fragilité vasculaire, étéchies, hémorragies gingivales et intestinales, scorbut.

Vitamine D (soluble dans le gras)

Sources: oeufs, foie, huiles de poissons, crème, beurre, fromages, rayons solaires.

Actions: favorise l'assimilation du calcium et du phosphore qui préviendront l'ostéoporose à un âge plus avancé ainsi que l'ostéomalacie ou rachitisme adulte: c'est la tendance à devenir courbé et à perdre de la hauteur en vieillissant. Favorise les pulsions cardiaques, la santé du système nerveux et prévient la formation de caillots sanguins. Pour la santé des os, du coeur, des nerfs, de la peau, des dents et de la thyroïde.

Signes de carence: toutes variétés de rachitisme liés à des états alcalosiques, acidosiques ou infectieux. Perturbations de l'ossification avec hypertrophie du cartilage de conjugaison. Atonie des muscles intestinaux.

Vitamine E (soluble dans le gras)

Sources: oeufs, céréales, arachides, fruits, noix, huiles végétales, produits laitiers.

Actions: aide à retarder le vieillissement, réduit le taux de cholestérol, facilite la circulation sanguine, favorise la fertilité. Aide à combattre les problèmes de l'andropause et la dégénérescence testiculaire. Pour la santé des vaisseaux sanguins, du coeur, des poumons, des nerfs, de la peau et de l'hypophyse.

Signes de carence: crampes nocturnes dans les jambes, ralentissement cardiaque, inhibition intestinale, dégénérescences nerveuses.

Vitamine K (soluble dans le gras)

Sources: viandes maigres, foie, la plupart des légumes, céréales, mélasse brute, yogourt, luzerne, huile de soja, huiles de foie de poissons.

Actions: elle est nécessaire à la bonne coagulation du sang. Pour la santé du sang, du foie; prévient la formation de caillots sanguins.

Signes de carence: troubles hépatiques et digestifs, tendances hémorragiques, gingivite, étéchies.

Calcium

En naturopathie, on insiste sur l'importance de la structure nutritionnelle dans la diète ordinaire. Le nutriment le plus important est le calcium. Une déficience en calcium contribue à produire les maladies qui précèdent 90 % de tous les décès.

Sources: poudre d'os, écailles d'huîtres chelatées, varech, fromage suisse et cheddard, poudre de caroube, feuilles vertes des légumes et plus particulièrement les choux, les feuilles de navets, les haricots secs, les asperges, le chou-fleur, les betteraves, les carottes et les amandes.

Actions: pour la santé du sang, des os, des dents, du coeur et des tissus lâches. Vital dans le combat de l'ostéoporose à l'âge mûr. Calme les nerfs, aide à dormir, régularise les battements cardiaques.

Signes de carence: battements du coeur irréguliers, douleurs dans les os, insomnie, essoufflement facile, tremblotement des mains, dents cassantes et plus sujettes aux caries, étourdissements, impatience, faiblesse, nausée.

Chromium

Sources: levure de bière, céréales complètes, foie, fromage, mélasse brute.

Actions: agit sur le système sanguin et la circulation; aide à maintenir un taux équilibré de sucre dans le sang et règle le taux d'énergie.

Cobalt

Sources: foie, légumes feuillus et autres légumes, en général, poisson, céréales de grains entiers.

Actions: est un constituant de la vitamine B_{12}. Essentiel pour la prévention de l'anémie et des maladies rhumatismales.

Cuivre

Sources: son de blé et de riz, germes de blé, foie, champignons, pois, légumes feuillus, noix, poisson, volaille, céréales de grains entiers, huîtres, raisins, olives, mélasse brute, avocats.

Actions: favorise la formation de l'hémoglobine, règle le contrôle des émotions. Pour la santé du sang, de la peau, des cheveux, des os, de même que pour la circulation sanguine.

Iode
Sources: poissons, algues marines, son, brocoli, beurre, carottes, épinards, cerises, maïs, avoine.

Actions: essentielle au métabolisme. Règle l'action de la thyroïde, favorise la production d'énergie.

Fer
Sources: amandes, asperges, haricots, chou-fleur, céleri, pissenlit, avoine, pain de blé entier, figues, pruneaux, raisin de corinthe, oranges, mélasse brute, jaune d'oeuf, coeur, rognons, foie, poisson, volaille.

Actions: contribue à l'élaboration des globules rouges du sang; aide à combattre le stress. Pour la santé du sang, des ongles, des os et de la peau.

Magnésium
Sources: viandes, volailles, poissons, noix, son de blé, miel, mélasse brute, riz sauvage, levure de bière et autres levures alimentaires, orge perlée, légumes verts, farine de blé entier, varech, pommes de terre, cresson, carottes et pissenlit.

Actions: afin de préserver l'équilibre entre les acides et les alcalis; pour le métabolisme de l'énergie; favorise l'absorption du calcium et de la vitamine C. Il est essentiel aux os, à l'activité musculaire, au système nerveux et au cerveau. Il active les enzymes digestives. Pour la santé des vaisseaux sanguins, du coeur, des tissus musculaires, des dents et des nerfs.

Manganèse
Sources: haricots, betteraves, son de blé, pois, légumes feuillus, amandes, céréales de grains entiers.

Actions: contribue à la croissance et à la reproduction.

Nickel
Sources: grains germés, laitue, oignons, ail, algues marines, céleri, haricots jaunes.

Action: aide à la digestion des sucres.

Phosphore
Sources: levure de bière et autres levures alimentaires, son de blé, noix, viandes, lait, oeufs, céréales.

Actions: il se combine avec le calcium pour former les os et les dents. Pour la croissance cellulaire et la réparation des cellules; favorise l'assimilation des vitamines et absorbe le sucre et le calcium. Pour la santé des os, du cerveau, des nerfs, des tissus musculaires, des dents et des reins.

Potassium

Sources: viandes, légumes, dattes, figues, olives, pêches, mélasse brute, arachides, raisins, bananes.

Actions: favorise l'apaisement; contrôle les pulsations cardiaques et la contraction musculaire. Pour la santé du sang, du coeur, des muscles, des nerfs, des reins et de la peau.

Sélénium

Sources: oeufs, poissons, céréales entières, riz sauvage, viandes, volailles, noix.

Actions: aide la fonction ancréatique; peut combattre le cancer. Pour la santé des tissus.

Silicium

Sources: fruits à pelure, blé entier, pois, asperges, endives, figues, carottes, betteraves, cerises, tomates.

Actions: facilite la bonne croissance des cheveux, des ongles et des dents.

Sodium

Sources: sel, lait, fromages, betteraves, carottes, cresson de fontaine, germe de blé, épinards, olives, oeufs, navet.

Actions: règle les taux de fluides cellulaires en maintenant la pression osmotique c'est-à-dire l'équilibre de la pression du sang dans les vaisseaux, les glandes lymphatiques et les tissus; prévient les crampes. Pour la santé du sang , des tissus musculaires, des nerfs et du système lymphatique.

Soufre

Sources: haricots, fromages, oeufs, poisson, viandes maigres, pois, avoine, cresson, oignons.

Actions: nécessaire au bon fonctionnement des nerfs. Aide à la formation des cellules du corps.

Zinc

Sources: haricots, cresson de fontaine, pissenlit, pois, foie, lentilles, poisson, brocoli, épinards, boeuf, fruits de mer, noix, fromages, pain de blé entier, carottes, maïs, tomates, gingembre, champignons, graines de tournesol.

Actions: augmente l'activité des vitamines; aide à la formation et à l'entretien des tissus du système respiratoire; est nécessaire au bon fonctionnement de l'insuline; favorise la cicatrisation; aide la digestion des féculents; peut prévenir l'anorexie (quoique ce ne soit pas rouvé); éloigne la dépression; facilite le métabolisme de la thiamine, du phosphore et des protéines. Pour la santé du coeur, du sang et des organes sexuels.

Exercices physiques

Les exercices physiques aident à mieux se sentir, à mieux paraître, à contrôler son poids, à réduire les risques de crise cardiaque. Ils favorisent le sommeil et une meilleure alimentation; ils chassent aussi la dépression. Ils donnent aux muscles du tonus et confèrent plus de résistance. Ils aident également à combattre le stress.

Il existe bien peu de personnes qui, se regardant dans le miroir, trouvent leur silhouette parfaite. Il faudrait en enlever un peu ici et en ajouter un peu là. Tantôt ce sont les jambes qui sont trop maigres ou trop grosses; les genoux trop saillants; les chevilles insuffisamment amincies; les hanches trop épaisses; la taille inexistante; le ventre proéminent; etc., etc. Tous ces défauts physiques peuvent être corrigés par l'exercice. La beauté corporelle implique l'harmonieux développement de tous les muscles et la disparition d'un tissu adipeux (graisse) trop abondant.

Point n'est besoin d'avoir étudié longtemps pour savoir que certaines formes d'exercice entraînent une augmentation des échanges respiratoires. Lorsque quelqu'un court, on le voit s'essouffler, c'est-à-dire que sa respiration devient plus rapide. Or, comme toute fonction s'améliore par l'usage bien dosé, il est facile de comprendre pourquoi l'exercice est important dans les cas d'insuffisance respiratoire, d'affections pulmonaires, de bronchites, de pleurésies, d'asthme, etc. Les personnes souffrant de ces troubles ont besoin d'un bon entraînement organique dosé selon leurs besoins respectifs.

En même temps que s'améliore la fonction respiratoire, la fonction cardiaque en fait autant. L'exercice sollicite le muscle cardiaque, lui demandant de travailler davantage afin d'oxygéner les muscles en action. Ce travail cardiaque fortifie le myocarde (partie musculaire du coeur). C'est là le meilleur moyen de se mettre à l'abri des troubles cardiaques, dont l'infarctus du myocarde si répandu de nos jours. Pour les personnes ayant déjà subi une crise cardiaque, l'exercice organique dosé progressivement reconditionne le muscle cardiaque, prévenant ainsi les crises éventuelles.

En améliorant la fonction cardiaque, l'exercice en fait autant pour la fonction circulatoire. Le pouls s'abaisse, la pression sanguine se stabilise, la circulation veineuse et lymphatique devient meilleure. Les gens qui souffrent d'hyper et d'hypotension artérielle trouveront, dans l'exercice, un moyen de remédier à ces déficiences. Les personnes qui souffrent de varices peuvent également s'attendre à une nette amélioration de leur condition.

L'exercice améliore aussi la fonction digestive de deux façons. D'abord, en créant un besoin nutritif et ensuite, en tonifiant les muscles qui *retiennent* les organes digestifs. Les personnes souffrant de descente d'estomac, de ptoses viscérales, d'aérophagie, de constipation, de flatulence trouveront dans l'exercice une solution à leurs problèmes si, évidemment, elles savent y joindre un mode de vie équilibré sur les autres plans.

L'exercice nous permet de brûler des calories d'où sa nécessité lorsqu'il s'agit de perdre du poids. Toutes les personnes souffrant d'obésité se doivent de faire de l'exercice en même temps qu'elles suivent une diète amaigrissante. C'est là le meilleur moyen d'accélérer, sans danger, la perte de poids.

C'est un fait reconnu que les gens mangent beaucoup trop. Évidemment, la véritable solution à ce problème consiste à cesser de se suralimenter. Mais c'est là une habitude qu'il n'est pas facile d'abandonner. Aussi est-ce une excellente pratique que d'augmenter, quelque peu, notre dose quotidienne d'exercice. De cette façon, il nous est possible de pousser plus à fond la désassimilation des substances nutritives, évitant ainsi toutes les maladies causées par une surcharge alimentaire. C'est ainsi que l'arthrite, le rhumatisme, la goutte, l'asthme, les maladies de la peau, le dérèglement glandulaire, etc., peuvent être évités et éliminés, en partie, par l'exercice.

L'âge n'est pas, non plus, un handicap. Un homme, habitué toute sa vie à une activité physique vigoureuse, peut fort bien être capable de faire de l'exercice à l'âge de soixante-dix ans autant qu'une personne sédentaire de quarante ans. Il faut, cependant, choisir le genre d'exercices qui nous convient. Si on y prend plaisir, on a plus de chance de persévérer. Il existe un nombre incalculable d'exercices dans lesquels on peut puiser. L'engouement récent, pour la bonne forme, nous offre un large éventail d'exercices accessibles à tous. Lequel vous convient davantage? Posez-vous d'abord les questions suivantes:

- Je dispose de combien de temps?
- Je dispose de quelle somme d'argent?
- Est-ce que je préfère prendre de l'exercice seul ou en compagnie?
- A quoi puis-je m'inscrire dans mon quartier ou près de mon lieu de travail?
- Quelles sont mes forces et mes faiblesses au plan physique?
- Quelles sont les activités sportives que je préférais à l'école?
- Quels sont les sports que je préfère regarder en spectateur?

Si vous n'êtes pas sportifs, tournez-vous vers les techniques de conscientisation comme le yoga, le tai chi. Si la pratique d'un sport vous indiffère, il existe mille autres manières de faire de l'exercice, seul ou avec d'autres. Si vous appréciez les activités sociales, inscrivez-vous à un cours de gymnastique ou abonnez-vous à un gymnase, si vous en avez les moyens.

Si vous avez un horaire chargé, choisissez une activité qui s'intégrera aisément à vos occupations. Sinon, vous serez tenté d'abandonner. Pourquoi ne pas aller travailler en vélo ou en joggant? Ou bien, faire quelques longueurs de piscine durant l'heure du lunch, avant de manger? Ou aller au gymnase en sortant du travail? Si vous êtes cadre, peut-être qu'à l'instar de plusieurs compagnies, vous pourriez instituer un programme de conditionnement physique pour vos employé(e)s et y participer vous-même?

Si vous référez agir seul, la course, la marche, la natation, le golf et le cyclisme s'offrent à vous.

La plus grosse difficulté à surmonter est de se décider à faire de l'exercice et de commencer mais, lorsque vous en ressentirez les bienfaits, vous ne voudrez plus abandonner.

Les principaux buts de l'exercice sont de développer la force, la mobilité et l'endurance. Conformez-vous aux règles suivantes et bientôt vous vous sentirez mieux:

- Prenez toujours le temps de réchauffer vos muscles et de vous calmer après les exercices.
- Faites des exercices auxquels vous prendrez plaisir. La technique de visualisation pourrait vous aider dans votre choix.
- Faites de l'exercice trois fois par semaine.
- Allez-y progressivement: ne vous épuisez pas. Cela pourrait vous faire plus de mal que de bien.
- Sachez tout ce qu'il faut connaître au sujet de chaque exercice: s'il est aérobique c'est-à-dire conçu pour augmenter l'absorption d'oxygène et, par conséquent, d'énergie, etc. Choisissez ensuite une routine qui soit équilibrée.
- L'insomnie, la fatigue peuvent être des signes d'excès. Écoutez votre corps et sachez quand arrêter.

Quel(s) exercice(s)?

La marche
Coût: modique. Vous n'avez besoin d'aucun équipement particulier, sinon une bonne paire de chaussures et un vêtement imperméable en cas de pluie.

Aptitudes: convient aux personnes de tout âge et à tous les états de santé. Peut s'insérer facilement dans un horaire chargé.

Avantages: fait fonctionner le muscle cardiaque (du moment qu'elle est assez rapide), brûle de l'énergie en douceur et sans stress. Redonne les idées claires. Certains prétendent atteindre un état méditatif en marchant.

La natation
Coût: modique.

Aptitudes: convient aux personnes de tout âge, peu importe leur condition physique. Peut profiter aux personnes atteintes d'une maladie du coeur (consultez d'abord votre praticien de santé), aux obèses et aux arthritiques. Il est possible de pratiquer la natation, peu importe l'endroit où l'on habite.

Avantages: excellente pour la posture. Fait travailler la plupart des muscles, dont le coeur. Chacun y va à son rythme. Favorise la relaxation. L'eau a des propriétés apaisantes, surtout l'eau salée. Appropriée aux hommes d'affaires et aux intellectuels car elle libère du stress.

Le cyclisme

Coût: une bonne bicyclette coûte relativement cher mais on ne l'achète qu'une fois. Si vous êtes décidé à faire du vélo, vous pourriez devenir membre d'un club cyclotouriste et acheter des vêtements en conséquence (ce qui haussera vos frais).

Aptitudes: convient à tout âge. Si vous avez des enfants, vous pouvez pratiquer ce sport avec eux.

Avantages: lorsque vous avez la connaissance de base, vous pouvez faire du vélo n'importe où, bien que le centre-ville ne soit guère attrayant et sécuritaire. Excellent pour le coeur et les membres inférieurs. Donne peu d'exercice aux membres supérieurs. Excellent moyen de lier connaissance, si vous devenez membre d'un club. Risques de blessures au dos, de chaleur et de froid. Portez une tenue appropriée et respectez les règlements de la circulation.

Le golf

Coût: varie selon le terrain où l'on pratique; public où privé. Sur un terrain privé, au coût de la carte de membre s'ajoutent le tarif horaire et la location d'un petit chariot. Les bâtons et les chaussures constituent d'autres dépenses.

Aptitudes: convient à tout âge. Il vous sera peut être nécessaire de prendre des leçons. Il faut aimer la marche.

Avantages: permet de passer plusieurs heures en plein air, beau temps, mauvais temps (pour les vrais mordus). Procure une bonne détente si on ne prend pas le jeu trop au sérieux.

Le jogging

Coût: modique, bien que les espadrilles de qualité ne soient pas bon marché mais on peut toujours profiter d'une vente.

Aptitudes: convient à tout âge. Peut se pratiquer partout et en tout temps. Idéal pour les personnes très occupées qui disposent de peu de temps.

Avantages: fait travailler le coeur, les poumons et les jambes et jusqu'à un certain point, les bras. Bon moyen de rencontrer des gens, si on le souhaite. Peut se pratiquer en solitaire. La course libère l'endorphine, procurant ainsi une sensation de bien-être (mais il est nécessaire de courir durant assez longtemps avant de ressentir cet effet).

Les avantages de ces exercices

Choisissez donc l'activité qui vous amuse le plus. Le corps humain est un moteur extraordinaire qui convertit en énergie une incroyable variété de combustibles: les aliments. Cette énergie est convertie, à son tour, en actions et en mouvements. C'est une centrale énergétique possédant d'énormes ressources et, pour la plupart, inutilisées pendant toute notre vie. Le corps possède ses lois immuables, dictant son emploi correct et demandant un rythme d'action et de repos. Trop de repos et ce moteur a des ratés mais, par contre, pas assez de repos et il s'épuise. Il faut toujours rechercher le juste milieu. Pour bien fonctionner, le moteur a besoin, à intervalles réguliers et fréquents, de laisser échapper de la vapeur à pleine capacité. Ceci veut dire: une forme ou l'autre d'exercice violent. Il vous faut haleter, suer. Il faut que votre coeur batte très fort mais, au lieu de forcer le moteur, comme ce serait le cas pour une machine, ces efforts maxima ne font que vous remettre en meilleure forme physique.

L'activité est la clef de la santé et de la jeunesse de l'homme: c'est la fameuse fontaine de Jouvence. Les muscles et les glandes ont besoin d'exercice pour rester jeunes. Plus ils travaillent, plus ils sont capables de travailler. La tendance, en vieillissant, est de devenir moins actif. Ceci est la route la plus sûre vers la dégénérescence. Personne ne meurt de vieillesse car une telle maladie n'existe pas. Nous mourons, plutôt, d'une infection quelconque car on n'a plus la force de résister à l'envahissement bactérien ou bien on meurt de la dégénérescence d'un organe vital. Plus nous employons toute notre musculature et chacun de nos organes et chacune de nos glandes, plus nous employons notre intelligence, moins ils risquent de dégénérer.

Voici, maintenant, dix commandements pour jouir d'une vie saine:

1. DIÈTE. S'établir une diète équilibrée. Si on ne s'y retrouve pas, il est à conseiller de consulter un expert en la matière c'est-à-dire un naturopathe se préoccupant des bonnes combinaisons alimentaires, ou un nutritionniste ayant les mêmes préoccupations. Plus on vieillit, moins on a besoin de graisse et plus on a besoin de protéines (végétales ou animales: viande maigre et blanche ou poisson). Il faut augmenter l'apport en vitamines et minéraux par une alimentation saine et complète et aussi à l'aide de suppléments.

2. ÉLIMINATION. La propreté du corps demande une bonne élimination des déchets du métabolisme ainsi que des résidus de notre alimentation. Il faut aussi pratiquer une bonne respiration profonde, à intervalles réguliers, afin d'éliminer le gaz carbonique.

3. REPOS. Il est primordial de procurer au corps et à l'esprit un repos adéquat toutes les vingt-quatre heures.

4. RÉCRÉATION. Nécessaire pour le plaisir et l'exercice.

5. SENS DE L'HUMOUR. C'est le meilleur antidote pour la tension et le stress.

6. STRESS. Il vous faut, à tout prix, éviter la colère, la haine et la jalousie. Ces actions déclanchent des poisons dans votre organisme. Ces dérangements émotionnels sont souvent les précurseurs, sinon la cause, de la haute tension artérielle et des infarctus.

7. COMPAGNONNAGE. L'homme est fait pour vivre en société. Les ermites sont des exceptions forcées.

8. TRAVAIL. Avoir la fierté de son travail bien fait mais ne pas devenir un esclave du travail.

9. BÉNÉVOLAT. Participer aux affaires de sa communauté.

10. MATURITÉ. Garder un esprit ouvert: accroître ses connaissances, en expérience et en sagesse contribue à atteindre la maturité personnelle.

Chacun sait, aujourd'hui, que le gras dans notre organisme peut être combattu par l'exercice. Mais est-ce que l'activité physique peut affecter l'inévitable ralentissement des fonctions de notre métabolisme basal? La réponse est oui. Quand une personne, peu importe son âge, fait de l'exercice, son métabolisme augmente considérablement et quand l'exercice est terminé, le métabolisme demeure élevé. C'est la façon naturelle dont le corps se débarrasse du stress. Si ce système est entretenu ainsi durant toute votre vie, il continuera à fonctionner merveilleusement bien jusqu'à la fin de vos jours. Le métabolisme élevé le restera durant douze à quarante-huit heures et alors une autre ronde d'exercices viendra le renforcer. Les exercices de résistance, comme les poids et altères, les "push up", les tractions à la barre fixe ou n'importe quelle autre activité physique dans laquelle le corps est opposé à un objet difficile à bouger, augmenteront la force, même chez les personnes âgées.

Le fonctionnement de votre organisme correspond à votre endurance, à votre force, à votre vitalité et au contrôle que vous exercez sur votre corps. La condition physique varie d'un individu à un autre et, chez le même individu, à certaines époques de sa vie. L'état physique est influencé par la maladie, l'hygiène personnelle, le repos et la détente.

Si votre organisme fonctionne de façon satisfaisante, il vous permettra de remplir facilement vos tâches quotidiennes et de vous divertir pendant vos loisirs.

Le manque d'exercice physique nous ramollit. L'automobile, l'ascenseur, nous privent d'exercice. Les heures de travail sont réduites et les heures de loisir sont multipliées: heures qui devraient être consacrées aux jeux de plein air et à l'exercice physique qui améliore le système cardio-vasculaire. Les exercices d'endurance accroissent le rendement et réduisent la fréquence du rythme cardiaque c'est-à-dire le nombre de pulsations du coeur, à la minute.

PRENDRE SOIN DE SON CORPS

L'étirement

Si vous voulez rester souple tout le long de votre vie, il vous faut faire des exercices d'assouplissement et d'étirement, d'une façon continue.

Il fut un temps où il fallait s'étirer pour rejoindre un objet. Vous souvenez-vous du démarreur de votre tondeuse? Il fallait se baisser, saisir une cordelette et la tirer vigoureusement afin de la faire démarrer. Aujourd'hui, on a inventé le démarreur électrique et on l'a placé à portée de la main, en haut, près de la poignée. Il fallait aussi tourner une manivelle pour abaisser la vitre de la portière d'une automobile: c'est n'est plus toujours le cas avec les vitres commandées par un moteur électrique. Et que dire de tous nos autres appareils télécommandés et programmés? La télévision, le stéréo, les fenêtres, la porte du garage ne requièrent plus aucun effort de notre part, ou si peu.

Nous vous avons démontré que l'exercice est indispensable pour mener une vie saine. La vie facile que nous menons décourage le moindre effort quotidien et, lorsque nous décidons de faire de l'exercice, nous nous dirigeons plutôt vers une forme qui ne demande, la plupart du temps, que des contractions de nos muscles: on oublie de les étirer. Cet oubli nous empêche de posséder la véritable bonne forme.

Mais si vous désirez acquérir ou conserver la souplesse nécessaire pour être en bonne forme tout le long de votre vie, il vous faut étirer vos muscles qui sont toujours contractés dans la plupart des sports et exercices de renforcement.

Il est important d'étirer les muscles après qu'ils ont été réchauffés par l'exercice. Des muscles gorgés de sang sont plus flexibles que des muscles froids et donc moins sujets aux accidents. Les muscles qui ont sans doute le plus besoin d'être étirés sont les muscles des jambes car ils ont été sollicités toute la journée pour nous garder debout. A cause de cette contraction constante, ils sont davantage sujets à rester contractés et tendus.

Il est possible de s'étirer, plus ou moins, selon ses dispositions actuelles. Il faut procéder en douceur et obéir à ses réactions. Le temps requis pour chaque mouvement peut varier de cinq à soixante secondes. Lorsqu'on s'étire, il ne faut pas ressentir de douleurs; si oui, on devrait relâcher la position, quelque peu. La tension ressentie devrait être légère et la position gardée de cinq à quinze secondes. Ensuite, l'étirement peut être poussé plus loin et la position tenue, cette fois, de cinq à trente secondes.

Les exercices d'étirement les plus importants sont les suivants: étirement des mollets en position assise sur le plancher, étirement des mollets en s'appuyant contre le mur, étirement de côté, assis sur une chaise sans bras, étirement du dos, assis sur la même chaise, étirement des jambes, assis dans votre bain et, finalement, étirement de l'intérieur des cuisses.

Si vous désirez apprendre la vraie technique pour pratiquer ces différents exercices, je vous suggère l'excellent volume "L'Encyclopédie des thérapies naturelles".

On peut aussi trouver une autre série d'exercices d'étirement dans un volume intitulé "Maximum Personal Energy", Charles T. Kuntzleman, Ed.D., Rodale Press.

L'appareil génital de l'homme

La plupart d'entre nous ignorent tout de leur appareil génital, malgré le rôle prépondérant qu'il joue dans notre vie.

Il est aussi important de bien connaître le fonctionnement de son organe sexuel que de se connaître soi-même. Chacun de nous est différent de son voisin, au même titre que nos yeux et nos nez sont dissemblables. La connaissance dévoile les mystères entourant les parties génitales et libère la sexualité d'un certain inconfort qui peut encore marquer notre attitude envers elle. La connaissance de son appareil sexuel permet de prévenir une maladie ou une infection à son premier stade et en facilite le traitement.

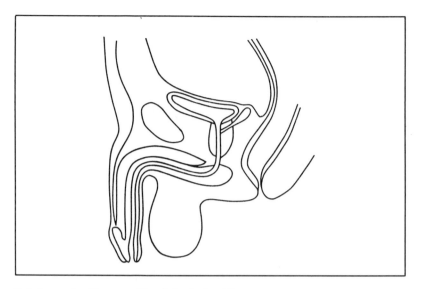

Schéma de l'appareil génital de l'homme

Énumération des différentes parties et affections qui peuvent les atteindre:

Bourses: membranes qui enveloppe les testicules (glandes génitales mâles) - Peuvent être le siège de tumeurs sécrétantes, de tumeurs bénignes et de tumeurs malignes. Le testicule peut être le siège de lésions d'origine traumatique (coup), infectieuse ou tumorale.

Canaux déférents - Conduits cylindriques qui servent à sécréter le sperme. - Ils peuvent être le siège d'une inflammation qui n'est qu'un signe associé à des maladies du testicule ou de la prostate.

Épididyme - C'est un organe allongé, placé sur le testicule comme une "crête de poule". - Peut être le siège de différentes affections: kyste, infections ou épididymites aiguïs ou chroniques (les deux derniers cas peuvent causer la stérilité).

Prostate - Glande sécrétant la plus grande partie de la phase liquide du sperme. - Peut être le siège d'une inflammation (prostatite) ou d'une tumeur bénigne (adénome). Ces deux affections entraînent souvent de sérieuses complications.

Vésicules séminales - Ce sont des réservoirs dans lesquels s'accumule le sperme en attendant d'être éjaculé. - Peuvent être le siège d'une infection: la spermatocystite.

Verge ou pénis - C'est l'organe mâle qui sert à la copulation. A l'état de repos, il peut être de dimensions variables mais, une fois en érection, il atteint une moyenne de 15 centimètres. - Il peut être affecté par une malformation congénitale ou sujet à des infections bénignes ou graves comme dans les MTS.-Il est recommandé de porter un condom lors de copulations extra-conjugale afin de prévenir ces infections qui peuvent être douloureuses et même apporter la stérilité.

LE TABAGISME

Le cancer du poumon, causé en grande partie par la fumée de la cigarette, est la cause première de mortalité chez l'homme. Le tabagisme est étroitement relié aux maladies cardiaques surtout à l'infarctus du myocarde. Son usage répété est la cause d'insuffisance respiratoire, d'ulcère de l'estomac et de cancer de la langue.

Les obstacles anti-tabac

Les campagnes anti-tabac jettent le blâme sur les victimes. C'est leur faute si elles fument et tant pis si elles souffrent les désagréments ci-haut énumérés. Cependant, cette condamnation ignore un aspect important de la question: pourquoi fume-t-on?

Griller une cigarette est une soupape de sécurité. Cela semble favoriser la détente et réduire la tension dont on croit ne pouvoir se débarrasser autrement.

Ceux qui nous entourent peuvent contribuer à diminuer notre volonté de cesser cette mauvaise habitude. Si nous sommes irrités, il se trouvera presque toujours quelqu'un pour nous offrir une cigarette pour relaxer.

Fumer est aussi un moyen de rompre la monotonie du quotidien. Plusieurs craignent de prendre du poids en cessant de fumer. Une cigarette coupe l'appétit et compte moins de calories qu'une tablette de chocolat. La publicité du tabac tend à faire croire qu'on est plus viril si on fume; exemple: cavalier, marin, sportif de tout acabit illustrent les paquets et les annonces de cigarettes.

Analyser et comprendre les motifs qui vous poussent à fumer vous permettra de développer une méthode pour mettre fin à cette habitude. Lorsque ce sera chose faite, vous vous sentirez beaucoup mieux.

Comment cesser de fumer?

- Selon une étude réalisée par le département de psychologie de l'Université New-Colombia, il est plus facile de cesser de fumer si on consomme beaucoup de fruits et de légumes frais. Apparemment, ceux-ci augmentent le taux d'alcali dans l'organisme, ce qui retarde l'excrétion de la nicotine. En ralentissant le rythme d'excrétion de la nicotine, il s'écoule davantage de temps avant qu'une autre "dose" soit nécessaire.
- Faites de l'exercice. L'exercice, nous l'avons vu, libère l'endorphine qui procure une sensation de bien-être. Le besoin de nicotine est alors réduit.
- Joignez-vous à un groupe de non-fumeurs comme "L'Association Québécoise des non-fumeurs Inc.» ou cessez de fumer avec un(e) ami(e).
- L'hypnose et l'acupuncture apportent des résultats; la première à cause de son effet apaisant et l'autre parce qu'elle libère l'endorphine. Un acupuncteur m'a cependant servi cette mise en garde: "Si quelqu'un ne souhaite pas sincèrement cesser de fumer, je ne peux rien pour lui."
- Apprenez à vous détendre. Mais seule, la relaxation ne suffit pas. Le tabagisme entraîne une dépendance physique mais c'est aussi une façon de vivre. Essayez de définir les situations au cours desquelles vous avez envie de fumer et faites en sorte de les éviter ou de les affronter. Les techniques, en vue de réduire le stress, décrites plus loin, vous y aideront. Il faut apprendre à voir sous un nouveau jour les situations stressantes. La psychothérapie peut vous aider à changer votre façon de penser.
- Modifiez votre routine. Lisez beaucoup, apprenez à bricoler, jouez aux cartes, aux échecs; pratiquez toute activité qui chasse le stress de votre esprit.
- Évitez les endroits enfumés ainsi que les situations où vous seriez tenté de fumer.

LE STRESS

Le fait de parler du stress dans un chapitre sur le bien-être peut sembler singulier. Toutefois, l'un des meilleurs moyens de rester en santé consiste justement à combattre le stress et à l'éliminer de notre vie. La recherche démontre, de plus en plus, que cette approche établit un pont entre les médecines conventionnelles et naturelles; elle peut expliquer pourquoi on obtient de bons résultats grâce à ces dernières.

Il n'y a presque pas de maladies qui ne soient imputées au stress. La plupart des thérapeutes naturistes, de même qu'une bonne proportion des médecins traditionnels, s'entendent pour affirmer que le stress est à l'origine de presque toutes les maladies. Qui plus est, il est presque impossible de lui échapper. Hans Selye, un expert en la matière, a dit: "L'absence de stress équivaut à la mort". Nous pouvons garder ces mots à l'esprit, nous qui voyons trop souvent le caractère négatif du stress. Un peu de stress fournit l'énergie nécessaire pour accomplir mille choses inhérentes à la vie quotidienne. Il peut indiquer la voie à suivre, donner l'impulsion nécessaire au changement, nous insuffler la motivation pour accomplir les tâches ennuyeuses. Cela dit, une période de stress prolongée comporte des risques sérieux pour tous les systèmes de l'organisme, entraînant souvent une grave maladie.

Les stress masculins

Les sources de stress sont extérieures autant qu'intérieures. La vie moderne nous expose aux bruits, à la pollution, aux embarras de circulation, aux cris stridents des sirènes de toutes sortes, à la surpopulation. De plus, nous devons faire face à nos devoirs quotidiens. Nous devons soit travailler, soit aller à nos cours: nous avons alors à satisfaire aux exigences du patron ou du professeur. Qui peut se vanter de s'entendre parfaitement bien avec tous ses confrères et consoeurs? Voilà d'autres sources de stress. La plupart de ces facteurs extérieurs nous affectent au plus haut point. Plusieurs d'entre nous passent, chaque jour, des heures et des heures au volant de leurs voitures, au beau milieu de milliers d'autres chauffeurs pressés, stressés et qui n'ont qu'un but: vous dépasser et arriver avant vous, où et pourquoi? Ils ne le savent pas eux-mêmes, la plupart du temps. Ils arrivent le soir, à la maison, exténués, les nerfs à fleur de peau, souvent pour faire face à une crise domestique. Pensez, seulement, aux changements qui se sont effectués depuis les cinquante dernières années. Quand j'étais petit garçon, le train nous faisait traverser le pays d'un océan à l'autre en trois jours et trois nuits et je trouvais cela merveilleux. Maintenant, je le traverse en quelques heures à bord d'un avion qui atteint presque la vitesse du son. Lorsque, pour la première fois, je dus faire le plein du réservoir d'essence de ma voiture, un préposé à chemise blanche et cra-vate rouge vint faire ce travail pour moi, vérifia le niveau d'huile du carter, lava et essuya le pare-brise et la lunette arrière et m'offrit une carte routière: tout cela pour 25 ¢ le gallon d'essence (environ 4 litres). Aujourd'hui, je dois faire tout ce travail moi-même et payer 2,38 $ pour quatre litres d'essence.

Des changements dans le style de vie peuvent aussi être source de stress et influencr notre santé: la mort d'un conjoint, un divorce, un séjour en prison. Même des changements agréables comme un mariage, un voyage, la retraite, un succès personnel, peuvent aussi être source de stress. Comme je vous le disais, au début de ce livre, le stress est nécessaire à la vie mais c'est l'accumulation de tous ces facteurs de stress qui fait que, débordé, notre organisme ne peut plus fonctionner adéquatement.

On assiste en outre à une crise d'identité. Autrefois, les différentes classes de la société étaient mieux définies; on savait à quoi s'en tenir, on se sentait à l'aise dans sa sphère. On pou-vait différencier un prêtre d'un plombier, un commerçant d'un notaire, un colporteur d'un médecin. Était-ce bon ou mauvais? Je ne sais mais chacun restait à sa place et se trouvait bien. Maintenant, les fils et filles de millionnaires jouent dans la rue vêtus de jeans délavés et effrangés; les fils d'ouvriers sont tirés à quatre épingles pour assister aux banquets de graduation et les "pushers" de drogue se promènent dans des voitures sport luxueuses.

A cause de tous ces changements, et d'autres, les gens ne se sentent plus en sécurité: ils sont inquiets. Leur sens des valeurs a éclaté. Ils ne savent plus à quoi s'en tenir. Pour sur-vivre, les hommes doivent continuellement s'adapter à des situations nouvelles. Par ailleurs, le seul fait de vouloir éviter le stress, entraîne bien souvent un stress supplémentaire.

Il nous faut donc nous adapter à cette vie trépidante et savoir nous réserver des moments de détente, et de relaxation, par exemple des vacances de farniente au bord de la mer ou dans un paysage reposant de montagnes afin, dans les deux cas, de s'oxygéner et d'«aérer» son esprit.

Vivre stressé

Que se passe-t-il lorsque vous subissez un stress? L'organisme se prépare à rétablir l'équilibre en sécrétant de l'adrénaline et de la noradrénaline dans les vaisseaux sanguins, ce qui entraîne les effets suivants:
- le coeur bat plus rapidement;
- la tension artérielle augmente;
- la respiration devient plus rapide, plus aisée;
- les muscles se contractent;
- la bouche se dessèche;
- l'appareil digestif se referme afin que le sang soit réparti vers les autres systèmes;
- les pupilles se dilatent;
- le foie sécrète du sucre dans l'organisme afin de donner un regain d'énergie;
- la sécrétion d'urine est ralentie parce que moins de sang inonde les reins;
- le système immunitaire ne fonctionne plus.

Si l'organisme vit un stress continu, il est normal que cela se répercute sur la santé. Les effets physiques du stress ont des retombées désastreuses sur la santé s'ils sont prolongés: la tension artérielle peut entraîner des troubles cardiaques, la constante sécrétion d'acides dans l'estomac cause des maladies telles la colite, l'irritation des intestins, un diverticule, des ulcères, etc. Lorsque le système immunitaire ne fonctionne pas, l'organisme est moins habilité à combattre l'infection. Vivez-vous une situation stressante? Cochez vos symptômes:

[] maux de tête
[] dessèchement de la bouche
[] mains moites
[] étourdissements

[] rougeurs
[] crises d'angoisse
[] difficultés à relaxer
[] esprit constamment au galop
[] baîllements et soupirs
[] difficulté à avaler
[] palpitations
[] problèmes sexuels
[] indigestion
[] irritation des intestins
[] douleurs musculaires (épaules, dos, estomac)
[] tabagisme et excès d'alcool
[] perte d'appétit
[] gourmandise chronique
[] fatigue après une nuit de repos
[] insomnie ou sommeil prolongé
[] difficulté de concentration
[] irritabilité
[] angoisse au sujet de votre santé
[] convulsions musculaires
[] piètre estime de soi
[] perte d'intérêt
[] mains et pieds glacés

L'accumulation d'agents stressants

Les psychologues Thomas Holmes et Richard Rahe ont fait un lien entre le taux d'incidence d'événements stressants et la santé physique et émotive. Afin de procéder à une telle évaluation, ils ont conçu une façon d'évaluer le stress. Elle vous est présentée plus loin.

Il s'agit d'un outil certes utile mais avant de l'utiliser il faut être conscient de certaines choses. Ce mode d'évaluation des agents stressants reflète les valeurs sociales dominantes, telle l'importance du mariage pour la stabilité affective. Mais à vrai dire, le mariage est souvent une source de stress et de dégradation de la santé. Les recherches démontrent que les célibataires sont en meilleure santé que leurs confrères mariés.

Il est difficile de dissocier les effets secondaires du stress (tabagisme, consommation d'alcool, mauvaise alimentation, etc.) et ce que nous faisons pour le combattre dans ses sources même. Vous le verrez plus loin, ces efforts peuvent gêner la capacité de combattre la maladie. Cela dit, il est évident que les facteurs de stress constituent un des éléments de la maladie. Ainsi, une étude américaine démontre une défaillance du système immunitaire chez les hommes dont l'épouse venait de mourir suite à un cancer du sein. A partir du tableau d'évaluation, vous verrez comment s'accumulent rapidement les agents stressants. Prenons le divorce en exemple. Il apportera sans doute des changements à vos rapports sexuels, à votre situation financière, à votre travail, à votre sommeil, à vos habitudes alimentaires et le reste. Tout cela favorisera le stress.

TABLEAU D'ÉVALUATION DES FACTEURS DE STRESS

Au cours de cette année, vous avez subi:

• Le décès de votre conjointe	100
• Un divorce	73
• Une séparation conjugale	65
• Un emprisonnement	63
• Le décès d'un membre de votre famille	63
• Une maladie ou des blessures	53
• Un mariage	50
• Un licenciement	47
• Une réconciliation conjugale	45
• La retraite	45
• Des ennuis de santé chez un membre de votre famille	44
• Une prostatite	40
• Des problèmes d'ordre sexuel	39
• La venue d'un nouveau membre dans la famille	39
• Un rajustement relatif aux affaires	39
• Un changement au plan financier	38
• Le décès d'un ami	37
• L'apprentissage d'un nouveau travail	36
• Des disputes plus fréquentes avec votre conjointe	35
• Les paiements d'une lourde hypotèque	31
• La forclusion d'un prêt ou d'une hypotèque	30
• Des changements de responsabilité au travail	29
• Le départ d'un enfant	29
• Des ennuis avec votre famille	29

Si votre total dépasse trois cents points, il existe quatre-vingts pour cent de risques que vous subissiez une maladie physique au cours de l'année qui vient.

Que faire pour vous venir en aide?

Une partie importante de cet ouvrage est consacrée aux façons de combattre le stress. Que faire en pareille situation? Les experts préconisent une approche en deux volets:

1. Attendez-vous à devoir combattre le stress;
2. Développez quelques approches permettant de résister aux sources de stress inévitables.

Prenons la maladie en exemple. Un homme qui se retrouve à l'hôpital, du jour au lendemain, a l'impression d'être déchu. Il a l'impression d'avoir subi une dégringolade sur le plan social. On peut prévenir le stress en écrivant ses peurs, ses angoisses face à la maladie et se servir de ces écrits pour favoriser la discussion et prendre les mesures qui s'imposent. Si votre maladie vous inquiète, renseignez-vous auprès de votre médecin et d'autres personnes compétentes dans le domaine de la santé car il existe plus d'un moyen pour recouvrer la santé. Cette approche réduira considérablement les facteurs de stress. Une telle démarche s'avère efficace pour tous les types de situations stressantes.

Il importe aussi de ne pas paniquer. Plutôt que de vous replier sur vos pensées ou vos ennuis, faites un effort pour remarquer ce qui se passe autour de vous. Concentrez-vous sur l'aspect physique des lieux, sur la tâche qui vous occupe à présent, etc., afin de favoriser la conscientisation.

En un mot, il faut s'occuper de soi. Trop souvent, l'homme ne se préoccupe que de son travail.

Combattre le stress

*   Acceptez les changements comme partie intégrante de l'existence;
*   Ne vous accrochez pas au passé;
*   Acceptez-vous tel que vous êtes;
*   Ne faites rien à cause de l'expectative d'autrui;
*   Apprenez à dire non;
*   Parlez de vos problèmes;
*   Consacrez-vous à une occupation qui absorbe l'esprit, qui retienne l'attention;
*   Accordez-vous du répit. Détendez-vous, lisez, faites des promenades, prenez une douche, faites ce que bon vous semble;
*   Ne perdez pas le sens de l'humour: c'est le meilleur remède qui soit;
*   Faites de l'exercice: cela libère la tension;
*   Apprenez à vous détendre;
*   N'augmentez pas votre consommation d'alcool, de tabac et de médicaments: au contraire, diminuez-les.

Les thérapies naturelles

Pratiquement toutes les thérapies naturelles permettent de contrer le stress. Il suffit de trouver laquelle vous convient. Prendre rendez-vous chez un thérapeute naturiste démontre un intérêt certain pour sa santé et avive l'estime de soi. Ainsi, vous disposerez de plus d'énergie pour faire face aux situations stressantes.

La psychothérapie, l'assistance psychosociale, les diverses approches globales du corps et de l'esprit vous aideront à identifier la source de vos maux. Elles vous permettront d'exprimer une gamme d'émotions telles la colère, la crainte et la tristesse sans encourir les conséquences qu'elles entraînent d'ordinaire.

La méditation, le yoga, le tai chi favorisent la relaxation du corps et de l'esprit, les libèrent des soucis et réduisent les effets secondaires dont on a déjà parlé. Une étude réalisée à l'école de médecine de l'Arkansas démontre que la méditation a un effet direct sur le système immunitaire.

Vous pouvez, en toute quiétude, apprendre à relaxer. Tous peuvent y parvenir sans s'embarrasser d'un équipement spécialisé.

1. Réservez-vous un moment au cours duquel vous ne serez pas dérangé et débranchez le téléphone.
2. Défaites les vêtements trop ajustés; asseyez-vous ou étendez- vous.
3. Contractez tour à tour chacun de vos muscles, en allant des orteils vers la tête.
4. Décontractez, un à un, chacun de vos muscles, en les relâchant de sorte que tout le corps devienne très lourd.
5. Demeurez ainsi durant quinze ou vingt minutes, en respirant calmement. Si certaines pensées viennent vous troubler, laissez-les simplement entrer et sortir de votre esprit. Pour ce faire, songez à quelque chose de réconfortant ou concentrez-vous sur votre respiration ou sur votre pouls.

En peu de temps, vous serez capable de vous détendre à tout moment. Pratiquez cette technique de relaxation une ou deux fois par jour. Ayez-y recours chaque fois que vous devez vous calmer, par exemple avant un examen ou un rendez-vous important.

Apprenez à vous affirmer

Certains d'entre nous éprouvent de la difficulté à s'affirmer et se voient obligés d'accomplir des tâches qu'ils ne souhaitent pas. Il faut apprendre à s'affirmer sans perdre son calme et à formuler ses exigences sans hausser le ton ni se sentir coupable. On reprend ainsi le contrôle de sa vie et cela seul diminue les facteurs de stress.

On apprend à dire "non" sans se sentir coupable en se reconnaissant certains droits fondamentaux. Chaque être a le droit à l'égalité, à la reconnaissance de son intelligence et de ses compétences, au privilège de changer d'avis, d'exprimer ses opinions même si elles contredisent celles de l'entourage, d'exiger que ses besoins soient satisfaits et de satisfaire ou non ceux d'autrui. Existe-t-il d'autres droits fondamentaux, selon vous? Reconnaître ses droits individuels, c'est aussi en conférer aux autres. Ce n'est pas toujours faire à sa tête. Il faut se montrer flexible et savoir accepter l'opinion d'autrui.

S'affirmer ne signifie pas se montrer agressif ou déraisonnable. Il faut formuler ses exigences calmement, honnêtement sans s'emporter et dans le respect d'autrui.

L'assurance s'avère utile en toutes circonstances, particulièrement lors d'une rencontre professionnelle ou d'une dispute. Il existe plusieurs techniques favorisant le développement de l'assurance. Il est évidemment plus profitable de les pratiquer en groupe que d'en faire la simple lecture.

La respiration

Les troubles respiratoires sont la cause de bien des maux. Une respiration superficielle, résultat du stress, peut entraîner l'anxiété. En apprenant à respirer lentement, calmement, on devient moins tendu, plus énergique.

1. Asseyez-vous ou étendez-vous confortablement.
2. Posez une main sur la poitrine, l'autre sur l'estomac.
3. Inspirez lentement jusqu'à ce que s'élève la main posée sur l'estomac. Si vous faites bien cet exercice, l'autre main ne doit pas bouger.
4. Comptez jusqu'à cinq et expirez lentement. Attendez un peu et recommencez.
5. Refaites cet exercice dix fois

Le sommeil

L'anxiété est l'une des principales causes d'insomnie, à moins qu'on ne souffre d'une maladie chronique.

- Commencez à vous détendre quelques heures avant d'aller au lit. Lisez, faites du yoga ou de la méditation.
- Évitez les discussions emportées et les disputes.
- Prenez un bain chaud. Ajoutez à l'eau des huiles aromatiques ou de l'essence de lavande, de camomille, de marjolaine, de sauge ou de ilang-ilang.
- Demandez à votre conjointe ou à votre amie de vous donner un massage (c'est divin!) et donnez-lui en un, à votre tour.
- Buvez une infusion de valériane ou de camomille afin de vous détendre les nerfs. On trouve, sur le marché, des sachets d'herbes variées.
- Dormez sur un oreiller bourré d'herbages.
- Écoutez une cassette de relaxation ou votre musique préférée.
- Ne mangez pas avant de vous coucher et ne buvez pas de café, thé, cacao ou chocolat, alcool ou tout breuvage au cola.
- Si vous ne parvenez pas à vous endormir, laissez-vous bercer par vos pensées; méditez, faites de la visualisation. Les experts estiment que cinq ou six heures de sommeil sont nécessaires et, de temps en temps, une nuit sans sommeil ne fait de mal à personne. Vous vous porterez mieux si vous relaxez durant les moments d'insomnie.
- Ne vous inquiétez pas et surtout n'ayez pas recours aux somnifères ni aux tranquilisants.

La caféine et le stress

Chaque matin, approximativement quatre-vingts pour cent de la population adulte de l'Amérique du Nord boit du café. Vers l'heure du midi, un grand nombre de ces deux cent millions ont bu de deux à cinq tasses de ce breuvage chaud et ont ingurgité, par le fait même, une dose libérale de caféine.

La plupart de ces personnes boivent ce café parce qu'elles croient qu'il a un effet stimulant. C'est vrai que la recherche nous indique que la caféine a un effet certain sur notre système nerveux et sur notre cerveau; que, momentanément et en apparence, il peut augmenter notre endurance, entraver notre propension au sommeil; mais il ne faut pas se leurrer et sauter aux conclusions.

Lorsque même une petite quantité de caféine entre dans votre corps, elle commence à y créer des changements. Après le coup de fouet initial à votre système cardio-vasculaire, elle va travailler sur vos muscles en y créant une tension et plus vous buvez de café, plus cette tension augmente. En fait, même de trois à cinq heures après votre dernière tasse de café, votre métabolisme peut être encore plus élevé que la normale de dix à vingt-cinq pour cent. Ceci veut dire que même si vous ne travaillez pas, vous éprouverez une sensation de fatigue, ou de lassitude, à la fin de la journée. C'est un cercle vicieux. On boit du café pour se réveiller et se tenir en alerte tout au long de la journée et, le soir venu, cette même caféine nous garde tendu et réveillé durant une partie importante sinon toute la nuit. Alors, on prend des somnifères pour s'endormir artificiellement et, le lendemain matin, on se sent si fatigué, si peu reposé qu'on recommence à prendre du café pour se réveiller et se donner du "pep", à nouveau. On commence par en boire une tasse, et ça suffit, au début mais bientôt, on est obligé d'en boire plus pour atteindre le but recherché. Les mêmes réactions se produisent avec toutes les drogues: au début, on obtient certains effets en prenant une petite dose, puis on est forcé d'augmenter la dose graduellement pour continuer à obtenir le même effet. Une tasse de café contient, en moyenne, de 100 à 150 mg de caféine donc, un consommateur qui en boit de deux à trois tasses par jour atteint 200 à 450 mg et s'il boit, en plus, d'autres breuvages qui contiennent de la caféine, tels que mentionnés plus haut, ce consommateur atteint et dépasse même 1 000 mg par jour. Cette quantité de caféine équivaut aussi à six à huit tasses de café par jour. A ce niveau, la caféine produit la nervosité, l'étourdissement, l'irritabilité et le tremblement.

Il est évident, en lisant ce qui précède, qu'il y va de votre santé et de votre bien-être de diminuer et même d'abandonner l'usage du café et de le remplacer par des tisanes ou par un breuvage à base de céréales grillées dont certains imitent, à s'y méprendre, la saveur du café mais en moins amer.

Sources ordinaires de caféine *

	en milligrammes
Breuvages (tasse de six onces)	
Café percolé	100 à 150
Café instantané	86 à 89
Thé	60 à 75
Breuvages au cola	40 à 60 par verre (8 oz)
Café décaféiné	2 à 4
Analgésiques sans prescription	
Anacine, Aspirine, Bromo Seltzer	32 par comprimé
Midol	32 par comprimé
Excedrin	60 par comprimé
Plusieurs remèdes pour le rhume	30 par comprimé
Plusieurs stimulants	100 par comprimé

* SOURCE: "Executive Fitness", 28 août 1979, Rodale Press

Évitez les agents de stress liés au travail

- Accordez beaucoup d'importance à l'éclairage. Celui-ci doit convenir à votre travail.
- Ne restez pas assis trop longtemps: cela peut entraver la circulation sanguine et lymphatique. Levez-vous, faites quelques pas chaque heure. Si c'est impossible, tapez des pieds.
- Accordez de l'importance à votre fauteuil. Si le siège est trop élevé, posez les pieds sur un petit tabouret ou, à défaut, une pile de livre ou un pouf afin d'être confortable. Un appui-pieds peut facilement être confectionné à l'aide d'une petite boîte en carton de 7 à 10 centimètres de haut et bourrée de vieux magazines. Cette boîte peut être solidement fermée à l'aide de ruban adhésif.
- Ne restez pas debout trop longtemps.
- Veillez à ce que l'endroit soit bien aéré. Des plantes, des fleurs, des vases remplis d'eau humidifieront votre lieu de travail. Un appareil ionisant compensera un manque d'air.
- Acquérez de l'assurance afin de pouvoir discuter avec vos supérieurs.

Un individu seul peut difficilement améliorer de mauvaises conditions de travail: c'est un problème de groupe.

DEUXIÈME PARTIE
CES MALADIES DES HOMMES

La prostatite

C'est une inflammation de la prostate et, selon le Larousse médical, d'origine microbienne. La majorité des hommes, après la quarantaine, éprouvent certaines difficultés avec leurs organes de reproduction, surtout la glande prostate qui sécrète la plus grande partie de la phase liquide du sperme. Elle est située à la base de la vessie et peut devenir hypertrophiée, causant divers malaises comme l'envie fréquente d'uriner, de fortes douleurs et certaines difficultés à accomplir l'acte sexuel, allant parfois jusqu'à l'incapacité d'obtenir une érection.

Le traitement par la médecine conventionnelle
Le traitement allopathique de la prostatite aiguë consiste en sondage vésical et à l'administration d'antibiotiques. S'il y a abcès, on procède à un drainage par voie périnéale.

Le traitement par les médecines douces
La naturopathie vient en tête pour le traitement d'une prostatite avec la panoplie que la nature met à sa disposition pour prévenir, soulager et guérir cette affection commune à la gent masculine. Le naturopathe se sert des plantes, de l'hydrothérapie, de vitaminothérapie, du massage, de cataplasmes d'argile et d'autres, de certaines manipulations, d'exercices appropriés à chaque cas, de l'irrigation du côlon et,

avant tout, de la correction alimentaire, de l'enseignement des bonnes combinaisons alimentaires et de tout autre moyen naturel qui pourrait s'avérer efficace dans un tel cas.

Un produit naturel, particulièrement efficace dans les cas de prostatites et dont j'ai eu maintes fois l'occasion d'éprouver les vertus, est le pollen de fleurs; mais pas n'importe lequel. Je me sers, depuis vingt ans, d'un extrait en poudre de pollen de fleurs lequel, dans le commerce, se présente en capsules. Pris régulièrement c'est-à-dire chaque jour, ce pollen prévient les prostatites et même les guérit dans 80% à 90% des cas.

Une technique, qui s'avère aussi utile, dans un tel cas, est la réflexologie qui agit par zone réflexe. Je m'explique: en massant une certaine zone du pied, en l'occurence un point situé à mi-chemin entre le talon et la cheville, à l'intérieur du pied. Lorsque le thérapeute entreprend ce massage, ce point est très douloureux car on y trouve une accumulation anormale de cristaux qui sont des déchets anormaux mais, au fur et à mesure des traitements, ce point devient de moins en moins sensible jusqu'à ce qu'un jour, il ne le soit plus du tout. C'est à ce moment que la prostatite semble avoir disparu. Bien entendu, cette technique n'est qu'un traitement d'appoint car il serait futile de l'appliquer sans la correction alimentaire qui est à la base de tout traitement naturopathique. Hippocrate, le père de la médecine naturopathique, n'a-t-il pas dit: "Que ton aliment soit ton remède et ton remède ton aliment"?

L'homéopathe, lui, cherchera d'abord à calmer en faisant prendre certains remèdes homéopathiques qui seront suivis par des composés de sels minéraux, de suppositoires, d'infusions et de bains de siège. Tout comme le naturopathe, lui aussi fera des recommandations alimentaires, vitamines et pollen.

Les vitamines recommandées sont: A, C, E, G. Le régime sera hyposodique et hypotoxique c'est-à-dire que les fruits et les légumes frais seront à l'honneur. On évitera les repas longs et copieux et on supprimera les boissons alcoolisées. Il faut aussi prévenir la constipation, éviter les refroidissements, les changements brusques de température lors du déshabillage, du coucher et de la toilette. Il est recommandé de dormir de 6 à 8 heures par nuit et de dormir, tour à tour, sur le côté droit et sur le côté gauche. Il faut satisfaire le besoin d'uriner immédiatement, ou sinon, dans les plus brefs délais.

L'Impuissance sexuelle

L'impuissance sexuelle est l'incapacité de l'homme à prendre une part active dans les rapports sexuels et à atteindre l'orgasme.   Si j'ai choisi de traiter ce sujet, c'est que l'impuissance est une affection qui ne se manifeste que chez l'homme et dont, en général, on croit qu'il est seul responsable. Il n'en est pas ainsi comme nous le verrons plus loin.

Quelquefois, l'impuissance organique découle d'un accident physique ou d'une maladie physiologique mais ce dernier cas est plutôt rare. La plupart du temps, dans 90% des cas, l'impuissance sexuelle a une cause psychologique. Il y a quelque chose dans l'esprit de l'homme qui l'empêche de répondre à ses désirs d'une façon normale. Ce quelque chose peut être un sentiment de culpabilité, d'anxiété, de honte ou bien l'expression d'un dédain pour l'acte sexuel. Ce peut être aussi un dérangement émotionnel éprouvé lorsqu'il était enfant ou bien le souvenir d'une expérience traumatisante n'ayant aucun rapport avec l'acte sexuel. Dans tous ces cas, donc, la cause n'est pas un symptôme d'une maladie physique mais le produit d'un état d'esprit.

Donc, la plupart du temps, nous avons à faire face à une impuissance fonctionnelle et il n'y a pas de drogues connues ou autres produits soit disant aphrodisiaques qui puissent contourner ce problème.

Essayons donc, d'abord, d'en découvrir les causes car elles peuvent être variées. Voici quelques exemples entre des centaines: un homme ordinairement viril et en bonne santé peut, temporairement, perdre sa capacité de mener à terme l'acte sexuel parce qu'il est trop préoccupé par des problèmes d'ordre professionnel ou bien qu'il est physiquement épuisé par des heures trop longues de travail ou bien encore parce qu'il est très préoccupé, pour des raisons très personnelles comme le chagrin, la douleur, etc. Il n'y a donc rien de neurotique, là-dedans. Si sa femme ou son amie n'est pas au courant des problèmes auxquels un homme doit faire face, à certains moments de sa vie et croit qu'il puisse produire une érection à volonté et faire l'amour avec elle n'importe quand, elle croira qu'il a perdu tout intérêt pour elle et qu'il ne l'aime plus et c'est là que les ennuis commencent. La femme pourra croire, aussi, que l'homme a des relations extra-conjugales et deviendra, par le fait même, soupçonneuse et jalouse et bientôt, il sera question de séparation et même de divorce. Si, au contraire, la femme est avertie, elle se montrera compréhensive et s'abstiendra de provoquer son mari ou son ami en pratiquant l'abstinence durant un certain temps. Quand l'homme est fatigué, épuisé, il devient vulnérable aux attaques de toutes sortes, qu'elles soient d'ordre physique ou psychologique. Dans le cas qui nous préoccupe, en ce moment, considérons l'homme arrivant de son travail, à la fin d'une dure journée. Tout ce qu'il désire, c'est se laisser tomber dans son lit et se reposer par une bonne nuit de sommeil; mais il sait que sa femme espère qu'il lui fera l'amour avant de s'endormir et qu'elle sera désappointée et blessée s'il ne le fait pas. Alors, il essaie et échoue. Lorsque ceci se reproduit à deux ou trois reprises, sa partenaire devient soupçonneuse et lui pose certaines questions. Ceci a le dont de créer de l'anxiété chez l'homme et il devient de moins en moins performant. Elle lui fait des reproches encore plus sentis, l'accuse de ne plus l'aimer ou bien d'avoir une petite amie. A ce point, plus l'homme essaie de se stimuler soit par des moyens visuels ou par la masturbation, plus il devient incapable de produire une érection et il en vient à la conclusion qu'il est devenu impuissant.

Le seul remède valable pour contrecarrer une telle situation est le repos complet, une alimentation saine, complète et naturelle qui comprend beaucoup de fruits et de légumes frais et crus et autres aliments nourrissants. Mais, attention: il est conseillé de prendre un repas plus léger le soir et de ne pas commencer à manger trop tard. Dix-huit heures serait l'heure idéale pour le souper car l'homme qui mange trop tard et trop abondamment,surtout s'il a copieusement arrosé son repas de vin et autres alcools, n'aura plus l'intérêt ni l'énergie nécessaires pour faire l'amour; s'il essaie malgré tout et subit un échec, il croira qu'il souffre de quelque déficience hormonale et ceci pourra entraîner une certaine peur; cette peur, à son tour, engendrera une impuissance plus grande.

La morale de cette histoire est que boire et manger tard le soir, à la lueur de la chandelle est peut être très romantique mais pas très recommandé si la romance doit se poursuivre, après le repas.

La question suivante est souvent posée: "Comment se fait-il que la peur de l'impuissance soit si terrible pour l'homme?" Au contraire de la femme, l'homme qui ne peut avoir une érection est très vulnérable et ne peut le cacher.Une femme, elle, peut s'engager dans une aventure sexuelle sans en avoir vraiment envie et sans même la désirer ou même n'avoir aucun intérêt pour son partenaire et il n'en paraîtra absolument rien. Un homme est tout simplement incapable d'une telle dissimulation physiologique. Toute réticence, dégoût ou préoccupation peut diminuer sa libido ou même l'empêcher complètement d'accomplir l'acte sexuel révélant ainsi son impuissance à sa partenaire. En une telle circonstance, l'homme est très vulnérable et se sent facilement humilié.

J'ai mentionné, plus haut, que l'impuissance pouvait résulter d'un traumatisme remontant, parfois, à la plus tendre enfance. Voici le cas d'un jeune homme qui vient tout juste de se marier. La première nuit de ses noces, à la lueur des lampes de chevets, son ardent désir pour sa jeune femme se transforme en dégoût. Il perd tous ses moyens et, honteux, doit se retirer en trouvant une excuse boiteuse. Il ne peut s'en expliquer la raison et n'ose pas, pour des raisons bien compréhensibles, s'en ouvrir à sa femme. Il va donc consulter un sexologue et on finit par découvrir que, lorsqu'il était tout jeune enfant, il couchait sur un petit lit dans la chambre de ses parents et qu'une nuit, il fut réveillé par un bruit insolite. Il vit alors sa mère, accroupie sur un pot de chambre, qui urinait face à lui. Il vit l'appareil génital de sa mère et en fut dégoûté; simultanément, il eut honte d'avoir surpris sa mère dans une telle position.

Lors de sa nuit de noces, lorsqu'il vit les poils pubiens de sa femme, ce souvenir enfoui dans son subconscient refit surface et l'empêcha d'accomplir l'acte sexuel.

Le sexologue conseilla à la jeune femme de se raser et tout rentra dans l'ordre.

Je crois avoir démontré, assez clairement, que l'impuissance fonctionnelle n'est   pas une maladie. Elle est plutôt due à l'incapacité de l'homme à surmonter son anxiété, les peurs qui sont en dedans et en dehors de lui. Elle est la manifestation d'une mésadaptation sociale résultant elle-même d'une éducation personnelle incomplète. Il est surprenant de voir que même dans une ère de permissivité comme la nôtre, un nombre incroyable de jeunes hommes s'engagent dans une relation de couple, sinon conjugale, sans y être vraiment préparés et où jouent, encore, les stéréotypes d'autrefois.

Avant de clore ce sujet, je veux mentionner que l'impuissance de l'homme ne peut se guérir que si la partenaire consent à s'impliquer en montrant compréhension et patience. Autrement, le problème s'envenimera et deviendra insoluble.

Une vie saine, une alimentation saine sans drogues, ni tabac, ni alccol, aideront grandement à surmonter une difficulté qui n'est, dans la plupart des cas, que temporaire. A cela viendront s'ajouter quelques suppléments alimentaires naturels qui aideront à renforcer la santé et, par le fait même, la libido. L'un d'entre eux, qui s'avère très efficace, est l'extrait de pollen de fleurs (mentionné plus haut) et le ginseng.

Les ulcères

Ulcère rond ou simple de l'estomac, ulcère peptique, ulcère du duodénum, tous sont des affections stomacales caractérisées par une perte de substance plus ou moins importante de la muqueuse gastrique, produisant des douleurs très vives, nettement localisées et accompagnées, presque toujours par de l'hyperchlorhydrie.

La cause première des ulcères de l'estomac ou du duodénum est l'ingestion d'aspirine en comprimés non écrasés, les corticoïdes (cortisone et ses dérivés), la réserpine et la phénylbutazone, tous médicaments chimiques. Ils laissent toujours une cicatrice et il y a danger qu'ils deviennent cancéreux.

Traitement conventionnel
On emploie couramment des médicaments comme le bismuth et/ou autres poudres inertes donnant des effets semblables, des médications antiacides ainsi que l'atropine et ses dérivés. On propose aussi d'autres produits comme les protéines du lait, des suspensions microbiennes, etc. A ces moyens médicamenteux, il faut associer un régime alimentaire ne comportant pas d'épices ni alcools, ni aliments lourds, des repas à heures fixes et une bonne mastication.

Lorsqu'il y a hémorragie, perforation ou sténose, on a recours à la chirurgie.

Le traitement de la médecine alternative

En plus d'une alimentation saine et naturelle observant les bonnes combinaisons alimentaires, le naturopathe suggérera de prendre du sulfate de zinc, de la chlorophylle, des vitamine B, C et E, de la protéine de soja, des pastilles faites de poudre d'écorce d'orme rouge mêlé à de la poudre de racine de consoude, du jus de chou fraîchement extrait. Il est même conseillé de manger la poudre d'écorce d'orme rouge sous forme de gruau qui est tout aussi nourrissant que le gruau d'avoine. Il apaise, alors, et même guérit par son action adoucissante, les parties avec lesquelles il vient en contact.

Le stress peut aussi causer des ulcères d'estomac ou du duodénum. Dans un tel cas, un changement dans le rythme de vie et souvent même un repos complet sont indiqués.

L'homéopathe fera prendre divers mélanges ou composés soit en gouttes, soit en poudres ou en dragées ainsi que des oligo-éléments, selon le cas. Il conseillera le jus de carotte, le jus d'ananas frais, l'huile d'olive, le miel de lavande, la dégustation de bananes et la soupe aux choux. Les aliments défendus seront les mêmes que ci-haut.

La cystite ou inflammation de la vessie

Même si la cystite est plus commune chez les femmes, les hommes n'en sont pas exempts. Les symptômes sont la sensation fréquente d'avoir à uriner tout en urinant très peu à la fois, des brûlures ou des picotements à la miction, des douleurs dans le bas-ventre, des maux de dos et la présence de pus dans les urines et, parfois, de sang. Cela témoigne, habituellement, d'une infection de l'appareil urogénital.

Les causes de la cystite sont très nombreuses dont, pour n'en nommer que quelques-unes, la sexualité, l'alcool, le thé, le café, le glucose, la chaleur, le froid, le port de vêtements trop serrés, les produits chimiques, etc.

Le traitement conventionnel

On prescrit des antibiotiques, parfois une préparation pour rééquilibrer le pH de l'urine (du citrate de potassium), on conseille de boire beaucoup de liquides et de se reposer.

Pour les cystites qui résistent aux antibiotiques, les médecins parlent de "syndrome urétral". Qu'est-ce que les médecines douces ont à leur proposer?

Le traitement des médecines douces

Le stress est la principale cause de plusieurs maladies et la cystite n'y échappe pas. Plusieurs choses peuvent empêcher l'inflammation de la vessie ou la rendre supportable.

La naturopathie, l'homéopathie et la phytothérapie offrent un traitement efficace. De plus, le naturopathe s'intéressera à votre régime alimentaire et suggérera, peut-être, à certains de prendre des comprimés de calcium, magnésium, zinc chelatés.

L'écologie offre des approches intéressantes. Selon cette nouvelle science, la cystite est due à des allergies alimentaires. Pour trouver ce à quoi vous êtes allergique, le thérapeute vous prescrira des aliments auxquels vous pensez être allergique sous formes de gouttes à diluer et à boire.

L'aromathérapie fait appel aux compresses et aux massages de même qu'aux bains chauds aux essences de pin et de cèdre.   L'ostéopathie et la chiropraxie peuvent soulager les problèmes anatomiques, si ceux-ci sont la cause de la cystite.

L'acupuncture peut aussi aider, de même que les douze sels biochimiques, selon les symptômes.

La Prévention

Pour prévenir une cystite:
- mangez des aliments complets;
- buvez de trois à quatre litres de liquide par jour (en évitant le thé et le café), surtout de l'eau distillée et des tisanes;
- n'attendez surtout pas pour aller uriner;
- après être allé à la selle, lavez-vous à l'eau tiède;
- vous et votre partenaire devriez vous laver les parties génitales avant de faire l'amour;
- videz votre vessie avant et après l'amour; lavez vos organes génitaux à l'eau tiède;
- évitez le port de blue-jeans trop serrés et portez des sous-vêtements en coton;

Si une attaque survenait…
- Dès le premier symptôme, augmentez votre apport liquide. Buvez un demi-litre d'eau distillée toutes les vingt minutes pendant trois heures.

- Buvez une cuillerée à thé de soda diluée dans de l'eau tiède toutes les deux heures le premier jour, moins souvent les jours suivants. Ce mélange aura meilleur goût si vous le mélangez à du jus de fruits ou à du miel. On le déconseille aux personnes souffrant d'hypertension. Si c'est votre cas ou si tout simplement vous n'en aimez pas le goût, prenez trois grammes de vitamine C par jour durant quatre jours. Pour ce qui est de cette vitamine, il faut toujours se laisser guider par son seuil de tolérance c'est-à-dire que si elle provoque une diarrhée, la quantité prise doit être diminuée jusqu'à ce que les selles redeviennent normales.
- Votre naturopathe vous recommandera une tisane spéciale.
- Gardez-vous au chaud. Une bouillotte dans une serviette placée contre votre dos ou votre ventre vous soulagera.
- Ne buvez ni café, ni thé, ni alccol.
- Ne mangez rien d'épicé; pas de viande, de crustacés, d'anchois, de sardines, de prunes, de laitue, de carottes, de haricots verts ou d'épinards: ces aliments acidifient l'urine et augmentent la sensation de brûlure.
- Buvez de l'eau d'orge pour calmer l'inflammation.
- Mangez des poireaux! Ils sont alcalins et ont des propriétés antiseptiques et diurétiques.
- Si vous devez prendre des antibiotiques, assurez-vous de consommer beaucoup de vitamine C (les antibiotiques éliminent cette vitamine de l'organisme), mangez beaucoup de yogourt ou, encore mieux, prenez plusieurs capsules de lactobacillus acidophillus, chaque jour, afin de rétablir la flore intestinale détruite par les antibiotiques. Les antibiotiques chimiques peuvent être remplacés par des comprimés d'extrait d'ail sec enrobés d'une protéine qui ne se dilue que dans l'intestin grêle éliminant ainsi les odeurs fortes causées, habituellement, par l'ail frais ou en gélules ordinaires. L'ail est un antiseptique et un antibiotique naturel qui ne produit pas d'effets secondaires comme les antibiotiques de synthèse.

La Cirrhose du foie

Le foie est l'organe le plus volumineux du corps humain. Il peut peser jusqu'à 1 500 g chez l'adulte.

Le foie est rouge-brun, de consistance ferme mais friable et fragile. Sa surface lisse est recouverte d'une capsule et du péritoine.

Le foie contribue à presque toutes les fonctions métaboliques et sa destruction complète est signe de mort.

Le foie prend part au métabolisme des éléments suivants: protides, lipides, glucides. Dans ce dernier cas, il peut transformer les glucoses en gras d'où son importance dans certains cas d'obésité.

Le foie joue un rôle important dans la détoxication des médicaments et de tous autres produits chimiques de synthèse ainsi que dans la neutralisation de certaines hormones. Le foie entrepose aussi la vitamine B_{12}.

· De plus, le foie sécrète la bile qui sert à éliminer la bilirubine, déchet de l'hémolyse normale. Elle assure l'élimination de tout surplus de cholestérol de notre organisme par la formation de sels biliaires et ces derniers favorisent l'absorption des lipides par l'intestin.

Organe le plus important de notre corps, le foie peut être atteint de plusieurs affections qui se manifestent toutes par des signes communs plus ou moins prononcés comme: la douleur, la jaunisse, le gros foie, l'hypertension portale et l'insuffisance hépatique. Une des affections hépatiques est la cirrhose.

Le mot cirrhose provient du mot grec "kirrhos" qui veut dire "roux". C'est Laennec qui a créé ce terme en 1819 après qu'il eût remarqué la couleur rousse d'un foie atrophié.

La cirrhose est une maladie grave qui provoque la destruction progressive du foie causant des cicatrices fibreuses et une régénération nodulaire, inefficace et anarchique des cellules hépatiques. Le foie devient alors dur et irrégulier. Il existe plusieurs sortes de cirrhoses dont la plus répandue est la cirrhose de Laennec ou alcoolique. Elle peut être provoquée par la consommation de 2 l. de vin ou 250 ml d'alcool absolu par jour et même moins, en certains cas. Elle s'installe, habituellement, après une phase assez longue d'infiltration des tissus hépatiques par une graisse neutre (triglycérides). Si cette graisse est le résultat de la transformation du protoplasma cellulaire, il y a dégénérescence.

Le Traitement conventionnel

Il consiste à combattre le syndrome oedémateux en conseillant un régime strict sans sel, des diurétiques chimiques, des ponctions d'ascite (accumulation de liquide dans la fosse péritonéale) et parfois par une thérapie à la cortisone. En certains cas, on peut faire intervenir la chirurgie.

Les Traitements par la médecine naturelle

Le naturopathe procéde, en tout premier lieu, à une détoxication intensive soit par le jeûne, soit par la phytothérapie et les cures de jus. L'aigremoine, la licopode, la "liqueur du suédois" (Maria Trében), la prêle cuite à la vapeur, sont des simples qui seront employés en infusion, décoction, compresses ou bains de siège. Tous ces moyens s'avérent très efficaces dans l'affection qui nous intéresse ici ainsi que dans tous les autres cas de pathologie du foie.

Après la cure initiale, on doit prescrire des suppléments adéquats: vitamines B_3 et B complexe, vitamine E et choline ainsi que des acides aminés. Une alimentation naturelle très spécifique et observant strictement les bonnes combinaisons alimentaires renforcera et régénérera cet organe malade et déficient.   Il est surtout recommandé de manger des aliments riches en hydrates de carbone et en protéines incluant: la viande, le poisson, la volaille, les oeufs, certains produits laitiers, les céréales complètes, les fruits et les légumes frais, le miel de romarin.

Les aliments spécialement interdits sont: le vin, le sel, la viande grasse, les fritures, les graisses animales.

Les vitamines recommandées: A, B_1, B_2, B_3 (levure de bière et/ou levures alimentaires), C, D, E, G, J, K, L_2.

L'Hypoglycémie

Elle se caractérise par le manque de glucose dans le sang. C'est une maladie de dégénérescence.

Le glucose ou sucre sanguin est la source de nutrition de toutes les cellules du corps humain et tout spécialement du système nerveux central, de la rétine de l'oeil et des tissus épithéliaux.

Le glucose est le matériau de base essentiel à la production des réactions biochimiques de l'énergie de la vie et de l'action. Cette énergie ainsi produite peut être stockée et utilisée selon les besoins des cellules. Sa distribution est régularisée par un certain nombre de mécanismes complexes impliquant différents tissus et organes du corps.

Le taux de glucose sanguin a une valeur minimale limite de 0,80 g par litre. Donc, si le taux de sucre descend en deçà de cette normale, c'est l'hypoglycémie, l'état contraire du diabète ou hyperglycémie.

Afin de maintenir un taux de sucre normal dans le sang, notre organisme utilise des aliments comme source principale. Une partie de ces aliments est transformée en sucres et est stockée dans le foie sous forme de glycogène qui est libéré au fur et à mesure des besoins.

Les Causes de l'hypoglycémie

Dans un léger pourcentage de cas, l'hypoglycémie est due à un dérangement pathologique organique,comme une tumeur au pancréas, par exemple.

Mais les cas les plus courants sont dus à une alimentation dévitalisée c'est-à-dire l'ingestion d' aliments raffinés ayant perdu la totalité ou presque de leurs vitamines et minéraux naturels. Ajoutez à cela le stress excessif et une vie très énervante qui créent des demandes physiologiques exagérées au métabolisme du pancréas et des glandes surrénales. Donc, le principal responsable est la consommation exagérée des sucres raffinés sous toutes ses formes. Lorsqu'il y a surconsommation de sucre, le foie transforme l'excédent en gras qui est alors stocké dans les tissus adipeux.

Le Traitement conventionnel

La médecine allopathique préconise, en cas de crise, l'absorption de quelques morceaux de sucre allant jusqu'à l'administration de sérum glucosé par perfusion intraveineuse dans les formes graves. Une fois la crise passée et lorsqu'on en a trouvé la cause, le traitement sera basé sur l'alimentation: on diminue l'apport glucidique. Le régime comportera donc essentiellement des lipides et des protides et on conseillera quatre à cinq repas par vingt-quatre heures.

Le Traitement par les médecines douces

Comme je l'ai mentionné plus haut, il faudra éliminer du régime alimentaire tous les aliments raffinés et dévitalisés et en particulier le sucre blanc et ses dérivés. Il n'y a aucune place, dans notre alimentation quotidienne, pour de tels poisons culinaires et s'ils disparaissaient, ils élimineraient un facteur important d'irritation et de dégénérescence alimentaire.

Au début d'un traitement, advenant qu'il y ait une crise, au lieu de manger du sucre blanc, il est plutôt recommandé de manger une orange ou un autre fruit similaire. Ceci a pour effet de rétablir le taux de sucre sanguin normal sans provoquer le pancréas outre mesure. Certains thérapeutes conseillent le jeûne surveillé suivi d'une réalimentation naturelle adéquate. Au lieu de rechercher une stimulation artificielle de l'énergie par la caféine, les pâtisseries, l'alcool et la nicotine (tabac), on la retrouve par le repos, le sommeil et la relaxation.

Aliments recommandés: fruits frais, légumes crus et noix ainsi que fromages blancs faits de lait écrémé, surtout de chèvre, et grains complets, cuits bouillis, ou grillés.

Aliments non recommandés: sucre sous toutes ses formes, fruits séchés plus sucrés que les fruits frais, tous les produits à base de farine blanche, toutes les boissons gazeuses même édulcorées à l'aide des succédanés du sucre, l'alcool, le café, le thé, le cacao et le sel.

En fin de compte, il est conseillé de consulter un thérapeute compétent qui vous reconduira sur le chemin de la santé naturelle.

"Médecin: pas de remède. Nous sommes des machines faites pour vivre et organisées expressément dans ce but. Telle est notre nature. Ne va pas à l'encontre du principe vital. Laisse-lui la liberté de se défendre lui-même et il réussira mieux qu'avec tes potions"

Napoléon Bonaparte

L'Arthrose

C'est le nom sous lequel on désigne des lésions dégénératives, non inflammatoires, des articulations, caractérisées par des lésions destructives des cartilages articulaires associées à une prolifération du tissu osseux sous-jacent.

L'arthrose se manifeste principalement dans les genoux, les hanches, les coudes, les articulations vertébrales, et les articulations des doigts de main et de pied.

La douleur est la principale caractéristique de l'arthrose et celle-ci se calme par le repos et est augmentée par les mouvements. Une impotence, plus ou moins complète et plus ou moins forcée, de l'articulation malade, accompagne cette douleur.

L'arthrose se manifeste dès l'âge de quarante ans. C'est un vieillissement précoce de l'articulation.

L'évolution de l'arthrose est lente, s'étend sur de nombreuses années et son aggravation est progressive.

Les Traitements par la médecine allopathique ou conventionnelle

On recommande, en tout premier lieu, le repos au lit, l'immobilisation de l'articulation, la prise d'analgésiques ou antalgiques et on donne, notamment, des injections d'hydrocortisone. De plus, certaines pommades médicamenteuses sont appliquées sur les articulations douloureuses. En dernier ressort, lorsque l'arthrose évolue jusqu'à sa phase irréversible, on fait intervenir la chirurgie avec ses prothèses en métal ou en plastique.

J'ai cru bon d'ajouter, ici, une liste partielle des troubles que peut donner l'emploi des médicaments ci-haut mentionnés.

Analgésiques ou antalgiques, etc.

Troubles digestifs, douleurs gastriques, bourdonnements d'oreilles, bouffissure de la face, acné, accidents hémorragiques, acidose, anémie, néphrite, oedème pulmonaire, agitation, délire, anxiété, torpeur, coma, élimination de la vitamine C, diarrhée, céphalée, nausée, excitation, douleurs articulaires, urticaire, prurit, éruptions cutanées prenant l'aspect de la scarlatine ou de la rubéole, desquamation, fièvre, les organes génitaux peuvent être affectés, ulcérations avec forme aphteuse, vomissements, anorexie, arthralgies, cyanose, hémorragies cutanées ou muqueuses, eczéma, obstruction de la structure des reins, crises convulsives, oedème du cerveau, troubles auditifs allant jusqu'à la surdité, etc.

Injections d'hydrocortisone ou autres semblables:
Vomissements, diarrhée sanglante, hématurie, troubles cardiaques, hyperglycémie, oedème du poumon, fibrillation cardiaque, modification de la formule sanguine, hypertension artérielle définitive, altération du fond de l'oeil, troubles articulaires, obésité, vergetures, acné, transpiration, modification de la libido, goître, diabète, troubles du métabolisme de l'eau et du sel, gastrite hyperchloridrique, fractures spontanées, gastrite hyperchloridrique, ulcères, perforation, réduction de la réserve ascorbique, thrombose, embolie, troubles nerveux et mentaux, crises convulsives, abcès.

La cortisone est, avec l'acide phytique, le plus puissant antagoniste de l'absorption du calcium, etc.

Antibiotiques:
Réactions fébriles, sueurs profuses, états de choc d'allure anaphylactique entraînant parfois la mort, cyanose, perte de connaissance, urticaire, oedème, érythème, eczéma, érythrodermie, stomatite, muguet, destruction de vitamines - notamment du groupe B - par destruction des bactéries intestinales qui en font la synthèse, développement anarchique de certains champignons, purpura, thromboses veineuses, amaigrissement, abcès, langue noire villeuse, méningite, convulsions, état épileptique, etc.

"La majorité des meilleurs et des plus grands de nos hommes meurt de quelque maladie commune (ou plutôt, ils sont tués par la médecine allopathique drogueuse lorsqu'ils ont cette maladie) dans la pleine vigueur de leur existence et alors qu'ils viennent juste d'atteindre l'âge où ils sont le plus capables de bien travailler dans le monde. Et ainsi doit-il en être jusqu'à ce que les hommes deviennent assez intelligents pour comprendre qu'il n'est pas nécessaire d'empoisonner son semblable sous prétexte qu'il est malade."

Dr. Russell Trall, M.D.
Les Traitements par la médecine douce

Nous avons vu, plus haut, que la maladie est causée par la toxémie qui est le résultat direct d'une perte de vitalité. Il est important, ici, de faire une digression et de voir comment s'établit cette perte.

Le corps est un ensemble de cellules, chacune d'elles travaillant dans l'intérêt de la collectivité. La condition ou l'état du corps est la résultante générale de la condition, de l'état de l'ensemble des cellules et de chacune d'entre elles. Mais l'état des cellules est à son tour déterminé par: 1) la puissance, la force vitale de ces cellules; 2) leur milieu. Exactement comme le milieu, l'agrégat de cellules peut être constructif ou destructif, favorable ou défavorable à la vie de la cellule. De même, tandis que l'organisme doué d'une bonne puissance vitale supporte mieux les circonstances extérieures défavorables, l'organisme affaibli succombe plus rapidement s'il est placé au milieu de telles circonstances défavorables; et il en est de même de chaque cellule prise en particulier. La tendance à l'état de santé réside dans les cellules. Le succès ou l'échec de cette tendance à la santé est déterminé par le milieu dans lequel vivent les cellules. "Chaque cellule, dans le corps, continue à remplir ses fonctions propres pendant tout son cycle de vie pourvu que son milieu reste en affinité avec elle." Ce qui précède est appelé "LOI DE LA CELLULE". Si nous admettons cette loi, nous pouvons espérer trouver la cause des troubles de santé dans le milieu même qui entoure la cellule. La cellule a besoin, pour vivre, de baigner dans un milieu liquide. La lymphe constitue ce milieu. Elle entoure chaque cellule. Elle constitue le milieu de vie de la cellule, apportant à celle-ci la nourriture nécessaire et jouant, d'autre part, le rôle d'égoût, de voie de drainage.

L'activité de la cellule entraîne la formation de produits de déchets, produits du métabolisme, de nature irritante, nocifs pour la cellule. Ces poisons ou toxines sont normalement éliminés par la cellule et rejetés dans la lymphe; sinon, il se produit des troubles.

Les toxines, en quantité normale, sont naturelles et provoquent une stimulation nécessaire. Mais, comme tous les stimulants, quand une quantité excessive en est retenue dans l'organisme, elles créent une sur-stimulation dont la conséquence est l'énervation ou fatigue nerveuse. Si ces sous-produits de l'activité cellulaire ne sont pas éliminés, ils produisent la "maladie" et la mort.

Les expériences du Dr. Alexis Carrel sur les tissus vivants ont prouvé que le corps est équipé d'organes dont la fonction est de sécréter des substances qui contrôlent le développement des cellules et en neutralisent les toxines.

Ainsi, la lymphe, envoyée vers les cellules par le courant sanguin, leur apporte de la nourriture en échange des déchets métaboliques. La lymphe est alors recueillie par les vaisseaux lymphatiques et envoyée au coeur où elle se trouve, à nouveau, mêlée au sang. Au passage, les ganglions lymphatiques ont neutralisé une partie des toxines contenues dans la lymphe. Du coeur, le sang passe par le foie où d'autres processus de neutralisation ont lieu. Les toxines, ainsi plus ou moins neutralisées, sont alors prêtes pour leur élimination. Du foie, le sang se dirige vers les poumons, la peau, les reins, etc. où il est débarrassé de ses débris toxiques qui sont alors rejetés à l'extérieur du corps.

L'homme normal (celui qui est en parfaite santé) est capable d'éliminer correctement mais un organisme affaibli, pour une raison ou pour une autre, n'est pas en mesure d'accomplir la tâche qui lui est demandée. Qu'advient-il dans un tel cas? Ou bien une autre partie de l'organisme compense l'insuffisance du travail de la partie affaiblie, ou bien les toxines s'accumulent progressivement dans l'organisme avec, pour conséquence, le dépérissement et la mort.

Notre corps est fort ou faible selon que l'énergie nerveuse que nous possédons est abondante ou réduite. Chacun des organes du corps a besoin d'une certaine quantité de cette énergie (qu'il nous est impossible de calculer exactement) pour accomplir un travail déterminé. Un apport normal d'énergie nerveuse est essentiel pour l'accomplissement d'un travail organique sans risque de surménage. Que cet apport d'énergie devienne inférieur à la normale et le corps fonctionne dans des conditions défectueuses.

Mais comment cette énergie nerveuse peut-elle s'amoindrir? Celle-ci est dépensée dans toutes les formes d'activités (mentale, émotionnelle, physique, physiologique et sexuelle) et elle se reconstitue pendant le repos, surtout au cours du sommeil. Les meilleures heures de sommeil sont de vingt-deux heures à une heure (du matin). Le surmenage, le manque de sommeil, l'emploi de stimulants (chimiques, mentaux, mécaniques), la suralimentation, les excès sexuels, etc,. sont des erreurs qui entraînent une baisse de vitalité, un état de faiblesse, que le Dr. Tilden a, l'un des premiers, qualifié "d'énervation". L'individu énervé ne possède plus, à ce moment même, ses fonctions physiologiques normales, quel que soit le moyen qu'il pourra employer pour se fortifier, pour donner le change.

Bernard McFadden écrivait: "Rappelez-vous bien, clairement et définitivement, que toute influence qui affaiblit les forces nerveuses et physiques du corps occasionne un abaissement correspondant de la puissance d'élimination". Donc, tout abaissement du pouvoir d'élimination entraîne la rétention, dans le corps, d'une partie des sous-produits du métabolisme qui, normalement, devraient être rejetés au dehors par les organes d'élimination: poumons, reins, intestins, peau. Les toxines s'accumulent donc progressivement dans l'organisme jusqu'à ce que le sang et la lymphe s'en trouvent saturés. Il en résulte un état de toxémie. Cette toxémie est d'origine endogène, c'est-à-dire qu'elle est produite par le fonctionnement du corps. D'autres toxines sont d'origine exogène, c'est-à-dire qu'elles viennent de l'extérieur. Une force nerveuse affaiblie ne permet pas une bonne élimination et est ainsi la cause d'un affaiblissement du pouvoir de sécrétion et de digestion ce qui permet la décomposition des aliments dans l'estomac et les intestins. Les poisons produits par la fermentation gastrointestinale sont partiellement absorbés (par la muqueuse intestinale, en particulier) et ils passent dans le sang causant des ravages au niveau des cellules et des tissus.

Si, à cause des troubles de santé, une prolifération microbienne survient dans l'organisme même, certaines des sécrétions microbiennes sont absorbées et contribuent à la toxémie exogène.

Une autre source de toxémie, par absorption, est l'introduction, dans l'organisme, de poisons tels que les vaccins, les médicaments, le tabac, l'alcool, le thé, le café, l'opium, le LSD et autres drogues semblables. Ces poisons bactériologiques ou chimiques sont introduits par la bouche, le nez, les poumons, la peau, les intestins.

Les deux formes de toxémie, endogène et exogène, vont toujours de pair. La toxémie tend toujours à s'accroître. En effet, plus le corps est intoxiqué, moins il devient capable de remplir ses fonctions d'élimination. Il s'ensuit que la santé s'altère de plus en plus jusqu'à la déchéance chronique et la mort prématurée.

Nous venons donc de constater que la toxémie est la cause première des actions aiguïs (crises) de l'organisme, de ces crises que l'on appelle "maladies". La maladie reçoit un nom selon les symptômes qu'elle présente. Ces symptômes dépendent: 1) de l'organe ou des organes les plus affectés par la toxémie; 2) du niveau de toxémie et de l'extension de celle-ci; 3) du niveau de tolérance de la part du corps envers la toxémie.

Ceci nous amène à rechercher les causes ou les sources de toxémie dans les maladies qui nous intéressent: c'est-à-dire l'arthrose ou les arthroses.

Comme nous l'avons vu plus haut, l'une des principales sources d'intoxication est d'origine endogène ou intérieure. Voici les signes et les symptômes qui nous font reconnaître cette auto-intoxication: une langue chargée (surtout le matin); une mauvaise haleine (malgré les nombreux rince-bouche que nous employons, la toxémie demeure toujours présente); des rhumes fréquents; des éruptions cutanées (tout ce qui précède nous indique un manque de propreté interne). Souvent, la peau devient grise et rude; les yeux perdent leur éclat; les cheveux manquent de vitalité; on devient irritable et nerveux.

Une douleur fugitive est aussi un signal d'auto-intoxication. Comment cette auto-intoxication se produit-elle? La cause première est la mauvaise alimentation ou, plutôt le mauvais choix d'aliments et, ce qui est encore plus grave, leur mauvaise combinaison. Il faut aussi mentionner la suralimentation qui est la plus grande cause de toutes sortes de maladies, surtout en Amérique du Nord. Dès notre enfance, la majorité d'entre nous développe des mauvaises habitudes d'alimentation. La plupart des familles mangent beaucoup de céréales surcuites et dévitalisées, y ajoutant du lait pasteurisé et du sucre blanc - lorsque ce sucre ne s'y trouve pas déjà en abondance (ce mélange de sucre et féculent est d'ailleurs très mauvais car il cause des fermentations dans l'estomac et dans les intestins, qui produisent à leur tour des gaz et des poisons) - pain blanc dévitalisé, beurre salé, viandes plus ou moins chimifiées et colorées, charcuterie, ainsi que de riches desserts sucrés tels que: gâteaux de toutes sortes, tartes aux fruits sucrés, poudings synthétiques ou autres, biscuits variés. Cette mauvaise façon de s'alimenter continuellement, conduit à l'intoxication et à la maladie. La plupart des gens mangent peu de fruits et de légumes frais et crus (il est plus facile d'ouvrir une boîte de conserve que de laver et préparer les fruits et les légumes frais) qui contribuent à la bonne santé et qui sont des alcalinisants combattant l'hyperacidité des humeurs qui est aussi un facteur de toxémie.

Les produits de mélange du sucre blanc et de la farine blanche (pains, gâteaux, tartes, etc.) sont spécialement nocifs pour la santé. Ils sont dépourvus de vitamines et de sels minéraux naturels et assimilables et, de plus, ils sont acidifiants. Ils contiennent aussi de dix-sept à vingt-cinq produits chimiques différents.

L'absence de propreté interne est la deuxième cause de l'état toxémique qui conduit à l'arthrose. Pour obtenir et conserver cette propreté interne, nous possédons, comme nous l'avons mentionné précédemment, quatre grands organes d'élimination: a) les poumons, qui élimine le gaz carbonique et apportent au sang l'oxygène bienfaisant (la plupart d'entre nous respirons mal et à moitié, ne permettant pas à nos poumons d'accomplir leur tâche en entier); b) la peau est le deuxième grand système de nettoyage. Elle comprend des millions de pores par lesquels s'échappent des acides et autres déchets en solution aqueuse (la transpiration); c) les reins viennent en troisième place mais ils sont très importants parce qu'ils aident à l'élimination des sous-produits les plus toxiques de l'activité cellulaire tels que les urates et l'acide urique qui proviennent de la combustion des protéines dans le corps; d) le quatrième organe d'élimination est le gros intestin ou côlon qui élimine du corps la matière fibreuse ou indigeste et les autres matières toxiques. Cet organe doit être gardé propre en tout temps car, autrement, les matières toxiques peuvent être absorbées et entraînées dans le sang et la lymphe, causant ainsi une toxémie. Je dois ouvrir ici une parenthès et dire que cette opinion est partagée par plusieurs naturistes mais contestée par d'autres. Ces derniers disent qu'il n'y a pas plus d'absorption au niveau du côlon qu'il n'y en a au niveau de la vessie. Mais, chose certaine, la constipation doit être évitée à tout prix. Je reviendrai, un peu plus loin, sur ce sujet très important.

La troisième grande cause de l'arthrose est le facteur mental-émotionnel. Le subconscient commande au coeur, aux poumons, aux reins, au foie et au processus de la digestion. L'émotion est une autre partie de l'intelligence dont on peut se servir pour construire sa santé ou la détruire par la maladie. Tout dépend de la vie émotionnelle que nous choisissons. Des pensées négatives sont déprimantes et destructives. L'inquiétude, la peur, le découragement, l'appréhension, l'anxiété, la dépression et autres émotions semblables créent des poisons dans l'organisme, ralentissent et même arrêtent certaines fonctions physiologiques telles que la digestion et produisent ainsi la maladie; ou bien, ils suractivent un organe; c'est, par exemple, l'effet de la colère sur le coeur. Un autre effet des émotions destructives est la contraction ou tension d'une partie du corps souvent dirigée vers le cou et les épaules. Le corps, lorsqu'il est inactif, devrait être relaxé et détendu.

Pour être en bonne santé, l'esprit devrait être en paix et au repos la plupart du temps. Que l'on se souvienne de l'adage: "Un esprit sain dans un corps sain".

Il y a quelques années, il m'a été donné de connaître un homme qui avait tellement peur d'être malade qu'il l'était réellement devenu. Quand il vint me consulter, pour la première fois, il souffrait vraiment de toutes sortes de douleurs et de maux. Il me confia que, deux ans auparavant, il était en parfaite santé lorsqu'un jour, il lut, dans une revue, un article où l'on exposait en détails les symptômes de différentes maladies et les tests à faire pour vérifier si vraiment on en souffrait. Cet homme ne connaissait pratiquement rien dans le domaine médical mais, ému par cet article, il se mit à s'inquiéter pour sa santé. Dès lors, au moindre petit malaise, il courait chez son médecin qui lui prescrivait différentes sortes de médicaments. Cet homme était devenu, sans s'en rendre compte, un névrosé et un malade imaginaire.

Je le renseignai donc sur les véritables causes de la maladie et des moyens naturels à prendre pour s'en défaire. De plus, je ne manquai pas de lui conseiller de ne plus lire ce genre d'articles sur les maladies et les accidents; ensuite, je lui conseillai de cesser de prendre ses nombreuses pilules chimiques qui n'étaient bonnes qu'à l'intoxiquer et, finalement, je l'aidai à corriger son alimentation et son comportement.

Après quelques semaines seulement de ce nouveau régime de vie, cet homme se sentait rajeuni de plusieurs années. Il avait, enfin, retrouvé la joie de vivre.

Il ne faudrait pas crier au miracle car l'on doit se rappeler que cet homme n'était pas vraiment malade. Seule la peur d'être malade lui faisait croire à toutes sortes de maux. Où la Peur et l'Ignorance l'avaient conduit, la Confiance et la Connaissance l'en ramenèrent.

Nous constatons donc que si nous vivons selon les lois physiques et morales de la Nature, nous vivrons en bonne santé; si, au contraire, nous transgressons ces mêmes lois, c'est la maladie, la déchéance physique et mentale et la mort prématurée qui nous attend.

Maintenant que nous connaissons les principales causes des arthroses, nous verrons comment nous pouvons prévenir et même enrayer ce mal dévastateur.

La prévention se résume à ceci: vivre sainement et modérément ("In medio stat virtus"). Même ceux qui ne sont pas encore atteints par une maladie dégénérative devraient faire leur profit des conseils judicieux et pratiques, qui suivent, pour conserver leur bonne santé.

Le Programme naturopathique

Il est évident, par tout ce qui précède, que l'arthrosique doit, pour recouvrer la santé, changer complètement son régime de vie; mais il devra le faire progressivement car un changement trop radical risquerait de désiquilibrer son organisme et aurait des conséquences plus néfastes, à priori, que bénéfiques.

La santé dépend des habitudes de vie de chaque jour. Il existe certaines lois naturelles qui nous gouvernent; si nous observons ces lois et les pratiquons, nous maintenons notre santé ou la reconstruisons, si nous l'avons perdue. Si, au contraire, nous négligeons ces lois, nous préparons, sans aucun doute possible, la maladie.

Si nous avons bu beaucoup de café et peut-être aussi trop de thé, si nous avons trop souvent dégusté des coquetels ou autres boissons alcoolisées; si nous avons fumé deux ou trois paquets de cigarettes par jour et avons aussi entretenu d'autres habitudes néfastes, nous avons contribué à nous empoisonner, à nous intoxiquer et à rendre notre corps si acide que la santé nous a délaissés. Les principes actifs des alcaloïdes du café et du thé, du tabac, etc. ont la propriété de se combiner avec les colloïdes tels que l'acide urique et ils forment un précipité insoluble qui a la mauvaise habitude de se déposer dans les tissus de notre corps; par exemple: l'acide urique se transforme en urates, cristaux coupants et piquants, à l'origine des douleurs musculaires et articulaires qui caractérisent les affections arthrosiques.

Voici ce que la naturopathie recommande avant de commencer quelque traitement que ce soit.   On doit cesser de boire du café, du thé et du cacao et les remplacer par des tisanes et autres breuvages sains ne contenant pas d'alcaloëdes. On doit aussi cesser de s'imbiber d'alcool, de vin et de boissons gazeuses et les remplacer par de bons jus de fruits frais. Quant à la cigarette et autres produits du tabac, si vous avez une forte volonté et une forte personnalité, vous pouvez cesser de fumer complètement, immédiatement; sinon, vous devriez commencer à la délaisser graduellement en retranchant une ou deux cigarettes par jour jusqu'à ce qu'un beau matin, qui ne doit quand même pas être trop éloigné, vous puissiez vous dire que le tabac n'est plus votre maître et que vous n'êtes plus son esclave.

La diète alimentaire est aussi très importante. Puisque, jusqu'ici, elle consistait en aliments acidifiants, il faut, maintenant, manger des aliments alcalinisants. Lors d'une crise aiguë, l'abstention de toute nourriture solide est primordiale. A ce moment-là, on ne doit boire que de l'eau pure et naturelle à basse teneur minérale et ne contenant aucun produits chimiques tels que le chlore, le fluor, etc. Si on ne peut trouver une telle eau, se procurer de l'eau distillée et y ajouter un peu de jus de fruit frais. Ceci donnera à cette eau une valeur supérieure à toute autre car les sels minéraux contenus dans le jus de fruit sont organiques et par le fait même, assimilables par notre organisme. Une fois la crise passée, on recommence à s'alimenter en prenant un peu de jus de fruit pendant quelques jours. Il faut commencer par un demi-verre toutes les deux heures et augmenter jusqu'à un verre plein toutes les deux ou trois heures selon notre faim. Après environ trois jours de ce régime, on peut commencer à manger quelques fruits pour finalement en arriver à une alimentation naturelle régulière.

Voici, maintenant, comment débuter le traitement durant la phase chronique. On doit commencer, comme dans la phase aiguï, par deux ou trois jours de jeûne afin de donner à notre organisme un repos physiologique. On ne doit boire que de l'eau telle que recommandée durant la période de crise. Il est aussi important que les intestins fonctionnent journellement pendant le jeûne pour les débarrasser des toxines qui y sont accumulées. Si les intestins ne fonctionnent pas naturellement, il faudrait soit se donner un lavement, soit se faire donner une irrigation du côlon en ne se servant que d'eau tiède additionnée d'une cuillerée à table d'huile végétale pure (maïs, olive, tournesol, etc). Surtout pas d'huile minérale qui n'est pas assimilable et qui recouvrirait les parois intestinales d'une pellicule imperméable et les empêcherait de remplir leur fonction adéquatement.

Il est important d'accomplir le jeûne dans un milieu tranquille et reposant, loin du bruit, de la radio, de la télévision et du téléphone car l'esprit a autant besoin de repos que le corps. Ce repos de l'esprit nous manque encore plus, de nos jours, que celui du corps car le monde moderne avec toutes ses inventions mécaniques plus ou moins bruyantes, ne favorise plus le recueillement et la méditation. Le monde est lancé dans une ronde infernale et, pour s'en libérer, il faut couper les liens et s'en séparer complètement, au moins durant quelques jours, afin de retrouver le calme et la sérénité nécessaires à la guérison.

Après quelques jours de repos total de tout l'organisme, (et je le répète, ici, encore une fois, parce que c'est très important) tant physique que mental, on procède de la même façon que pendant la période de crise aiguë. Il faut recommencer l'alimentation par des jus de fruits tels que: orange, prune, pomme, raisin, etc. Ces jus doivent être fraîchement extraits à l'aide d'un extracteur de jus. Attention: ne jamais boire de jus en conserve ou en poudre car ces jus contiennent tous des préservatifs, essences, colorants, etc., qui sont tous des produits chimiques nocifs à l'organisme. De plus, ils ont été pasteurisés, c'est-à-dire chauffés et leurs enzymes vivants ont été tués.

Il faut commencer par un demi-verre de jus frais et augmenter la dose tel qu'enseigné précédemment. Ces jus peuvent être dilués avec de l'eau pure, distillée, de préférence. Pour varier, on pourrait boire le jus des légumes suivants: tomate, poireau, haricots verts, oignon, céleri, ail. Bien entendu, ces jus doivent être mêlés entre eux dans des proportions adéquates. Il est très important de ne pas employer de sel, d'aromates ou d'épices d'aucune sorte avec ces jus de légumes, ni de sucre avec les jus de fruits.

Après deux ou trois jours aux jus, commencez à déguster un fruit (comme une orange ou une pomme) toutes les deux ou trois heures, en ayant soin de bien les laver car on vaporise des insecticides et des fongicides chimiques de toutes sortes sur la presque totalité des fruits vendus dans le commerce ordinaire.

Ces poisons sont délayés dans l'huile minérale afin de les empêcher d'être délavés par l'eau de pluie. Il est donc primordial de les laver dans une solution spéciale qui diluera cette huile empoisonnée. Voici une recette que nous suggère Johanna Brandt dans son étude: "La cure de raisins".

"Se procurer, à la pharmacie, une once d'acide hydrochlorique chimiquement pur et le diluer dans trois litres d'eau (ATTENTION: il est très important de toujours verser l'acide dans l'eau et non de faire l'inverse car, à ce moment-là, il pourrait y avoir danger d'éclaboussures d'acide). Cette solution doit être gardée dans une jarre en grès. Laver d'abord les fruits ou les légumes sous le robinet en les brossant légèrement à l'aide d'une brosse douce puis, ensuite, les laisser tremper durant deux ou trois minutes dans la solution acide puis les en retirer, les rincer sous le robinet et les consommer soit en jus, soit nature. Cette même solution peut être employée durant environ une semaine pour une famille de cinq à six membres.

On vend aussi sur le marché, un Liquide Organique Concentré, à base d'huile de noix de coco. On en fait une solution, comme expliqué ci-haut (mais ici, on n'emploie que quelques gouttes) et on l'emploie de la même façon ou selon les directives données sur l'étiquette. Cette solution a un avantage marqué sur la solution précédente: elle n'est pas dangereuse à manipuler, n'est pas corrosive et ne requiert aucun récipient spécial pour la conserver: on la jette après chaque usage. Si on ne peut ou si on ne veut pas employer l'un ou l'autre de ces deux procédés, on peut toujours peler ses fruits puisqu'il ne s'agit, ici, que de fruits à pelure.

Il faut faire attention à ne pas se suralimenter car, même en suivant une diète de fruits, on peut dépasser la limite de sa faim réelle. Un maximum de deux kilos de fruits par jour peut être toléré.

Les fruits étant des dépurateurs du sang, on poursuivra cette diète jusqu'à ce qu'un mieux réel se fasse sentir. Alors, on pourra se permettre des menus plus variés.

On doit éviter de boire pendant ou immédiatement après les repas. Les jus de fruits ou de légumes, si désirés ou si indiqués par votre nutritionniste, doivent être bus de vingt à trente minutes avant les repas et si, durant la journée, on a soif d'eau, attendre de deux à trois heures après les repas. Les breuvages bus en même temps que les repas ou immédiatement après, retardent la digestion car ils diluent les sucs digestifs et sont cause de fermentations stomacales et intestinales.

Si vous en faites l'expérience, vous constaterez qu'une personne qui s'alimente presque exclusivement de fruits et de légumes frais et crus ne ressent presque jamais la soif.

Dans les cas de constipation chronique, un verre de 250 ml de jus de pruneaux ou de prunes ou de raisins fraîchement extrait s'avère aussi très efficace, du moment qu'il est bu sans sucre et à jeûn, au moins une demi-heure avant le déjeuner.

Voici, énumérées ci-dessous, LES PRINCIPALES FAUTES ALIMENTAIRES, FACTEURS DE TROUBLES DE SANTÉ.

1. La suralimentation.
2. La nervosité, la hâte, l'insuffisance de mastication, le surmenage.
3. L'insuffisance d'aliments naturels alcalinisants et riches en vitamines, sels minéraux organiques et oligo-éléments indispensables.
4. La consommation, de plus en plus grande, de produits dénaturés, raffinés, trafiqués, industrialisés et additionnés de produits chimiques (pain blanc, riz blanc, farine blanche, sucre blanc, huiles purifiées chimiquement et pressées à chaud, bonbons, pâtisseries, conserves, etc.)
5. La consommation de boissons fermentées, de café, de thé, de cacao, de condiments irritants: tous poisons excitants-dépresseurs.
6. L'excès d'aliments farineux (à l'origine des catarrhes, inflammation des muqueuses, maladie de peau, de fermentations digestives, rhumes, pneumonie, bronchite, etc.)
7. L'excès d'aliments protidiques d'origine animale (à l'origine des décompositions gastro-intestinales, des maladies du foie, des reins, du sang, etc.)
8. Les préparations défectueuses et destructrices par la chaleur, par addition de sel, de bicarbonate de soude, de vinaigre, etc.
9. Les combinaisons alimentaires incorrectes et même mauvaises. Diversité exagérée des plats à chaque repas.
10. L'usage, de plus en plus répandu, de médicaments de toutes sortes et de traitements répressifs et suppressifs.

DÉSÉQUILIBRES ALIMENTAIRES
(excès et carences)

Les vraies carences alimentaires, comme la sous-alimentation, sont beaucoup plus rares qu'on ne le croit, même dans les milieux défavorisés. Quelquefois, les substances indispensables à la vie ne sont pas apportées en suffisance mais il s'agit, la plupart du temps, de sous-nutrition et de mauvaise utilisation des aliments, vitamines et minéraux ingérés.

Voici ce que dit le Dr Shelton, biologiste de réputation internationnale: "Le corps a besoin d'aliments acidifiants (sains et naturels) tout comme il a besoin d'aliments alcalinisants. De fait, il est fort à craindre qu'un excès habituel et prolongé d'aliments alcalinisants produirait l'alcalose (hyper-alcalinité) et on croit que cet état est presque aussi mauvais que l'acidose (hypo-alcalinité)".

Une alimentation hyper-alcaline (fruits frais et légumes verts et frais) est souvent indispensable mais ne doit être que transitoire car il faut, après la période de détoxication, prendre suffisamment d'aliments acidifiants naturels. La bonne proportion serait d'environ 20 % d'aliments acidifiants pour 80 % d'aliments alcalinisants.

L'alimentation, que je conseille ici et qui peut être la même dans tous les cas de maladie aiguë ou chronique, a été étudiée pour apporter des rations équilibrées et suffisantes de substances assimilables nécessaires à la vie de l'homme. Bien entendu, cet équilibre n'a pas à être réalisé à chaque repas mais dans l'ensemble de l'alimentation d'une journée.

PRINCIPALES RÈGLES À SUIVRE:

1. Recherchez des aliments naturels; les préparer correctement; ne pas les dénaturer.
2. Évitez la suralimentation. Mangez suivant la faim et le pouvoir digestif du moment. Sortez de table avec un restant de faim (ne jamais manger à satiété). Ne pas chercher à connaître la ration maximum que l'on peut

ingérer sans malaises mais rechercher, plutôt, la quantité minimum avec laquelle on peut vivre normalement, sans carences.

3. Mangez normalement et lentement. Prenez tout votre temps. Mastiquez et insalivez bien votre nourriture.

4. Mangez dans le calme et la quiétude. Détendez-vous avant et après les repas. Pas d'exercice physique fatigant ni de travail cérébral absorbant pendant l'heure qui suit le repas. La digestion est plus efficace durant le repos et le sommeil.

5. Ne lisez pas et ne travaillez pas en mangeant.

6. Attention à ne pas prendre froid après un repas.

7. Ne buvez pas au cours des repas. Ne buvez jamais pour faire avaler. Le goût ou l'envie de boire (durant le repas) signifie souvent l'absence de faim. Si on a soif, boire une demi-heure ou même une heure avant le repas.

8. Évitez les condiments et les excitants.

9. Équilibrez bien la ration alimentaire.

10. Combinez correctement les aliments. (voir le livre: "Les combinaisons alimentaires" de Lucile Martin Bordeleau, EdiForma, distribué par Flammarion). Faites des repas simples; abstenez-vous d'une trop grande variété de mets dans un même repas mais apportez beaucoup de variété, d'un repas à l'autre, suivant les saisons.

11. Présentez des plats attrayants et appétissants. Variez le "fonds" de recettes culinaires (voir: "Les combinaisons alimentaires" recettes simples et efficaces - par Lucile Martin Bordeleau, aux mêmes éditions que ci-haut).

12. Rejetez, une fois pour toutes, médicaments, apéritifs, digestifs, toniques, excitants, purgatifs, laxatifs, etc.; tous les traitements, les pratiques des "guérisseurs", etc. c'est-à-dire tout ce qui est censé "guérir les maladies" (en réalité, tout ce qui tend à supprimer les symptômes mais qui ignore les vraies causes des troubles de santé).

13. Ne négligez aucun des facteurs naturels de santé.

Nous avons vu, plus haut, que les facteurs naturels de santé sont: l'alimentation, l'eau, l'air, la lumière, l'exercice, le repos et une bonne conduite de l'état mental. Voyons, maintenant, comment l'eau peut être employée pour aider l'arthrosique. On dit qu'il faut boire de cinq à huit verres d'eau par jour. Ici aussi, comme dans tous les domaines de la santé, il faut appliquer la règle d'or: la pondération. Si on ne doit manger que lorsqu'on a faim, alors, on ne doit boire que lorsqu'on a soif, et encore, de l'eau la moins minéralisée possible. La trop grande consommation d'eau engorgerait nos tissus. Une personne qui, au cours d'une journée, boit quelques verres de jus de légumes et/ou de fruits frais et crus, ne ressent pas le besoin de boire de l'eau ou même d'autres breuvages. Une personne qui aurait une certaine tendance à la constipation, pourrait se trouver bien de prendre, le matin à jeûn, un verre d'eau tiède additionnée du jus d'un demi-citron.

On sait que l'eau peut s'avérer bonne et utile autant à l'extérieur qu'à l'intérieur. Voici donc une excellente façon d'employer l'eau: dans le cas de névralgies ou autres douleurs semblables, on pourrait pratiquer l'épongement toutes les deux ou trois minutes, jusqu'à disparition des douleurs.

Voici la façon de procéder: on prend une éponge naturelle, à peine mouillée d'eau froide et on la passe sur les parties douloureuses, à deux reprises, sans appuyer fortement (on ne fait qu'effleurer la peau). L'eau ne doit pas ruisseler.

L'épongement accélère le flot sanguin par le contact froid qu'il procure et la durée de ce contact est trop infime pour présenter le moindre danger.

Dans le cas d'une articulation douloureuse, on peut employer l'effet bénéfique d'un massage par jet d'eau à 26 ou 27 degrés C., environ, dont la pression et le volume seront augmentés graduellement. S'il s'agit d'un bras, dirigez le jet d'eau depuis l'épaule jusqu'au bout des doigts, sur sa face antérieure et postérieure; s'il s'agit d'une jambe, dirigez le jet sur la cuisse et descendez jusqu'au pied, ici aussi, sur la face antérieure et sur la face postérieure de toute la jambe. Aussitôt après ce massage hydrique, épongez le corps avec une serviette et enveloppez-vous dans un long peignoir en tissu-éponge. Attention à ne pas irriter l'épiderme par un essuyage trop rude.

Ce massage au jet d'eau ne doit durer que de quelques secondes à une minute, tout au plus. Il serait nocif de le prolonger. Ce n'est pas la durée qui produit son efficacité: c'est le contact, le choc.

Pour être vraiment bénéfique, ce procédé doit être employé au moins une fois par jour.

Il est reconnu qu'un bain chaud, des compresses d'eau chaude, peuvent aider momentanément à soulager les douleurs de l'arthrose. Évitez, aussi, d'employer des savons forts et parfumés ainsi que d'autres produits chimiques pour le bain.

Toutefois, le sel de mer et l'argile sont à conseiller. L'eau froide et les bains prolongés sont contre-indiqués.

Quand le malade peut se le permettre, certains traitements physiothérapiques sont aussi efficaces pour soulager la douleur. Chaque cas devrait être étudié séparément et, de plus, il est bon de se rappeler que tous ces moyens ne sont que des palliatifs et qu'ils n'apportent pas la guérison par eux-mêmes.

L'un de ces traitements physiothérapiques est le bain de vapeur ou sauna. Il est bénéfique aux jeunes comme aux plus âgés, aux bien portants comme aux moins bien portants et aux malades ainsi qu'aux maigres comme aux gras. Chez ces derniers, il contribue à éliminer la graisse superflue et chez les personnes maigres, il dilate les vaisseaux sanguins et amène le sang à la surface de la peau; il regonfle les muscles privés de sang et remédie ainsi à l'amaigrissement.

Le bain de vapeur doit être suivi d'un épongement à l'eau froide, de préférence à une douche à l'eau froide, puis de certains mouvements de gymnastique suivis d'une période de repos. Pour ce faire, s'envelopper dans un long peignoir en tissu-éponge. Il peut arriver, parfois, que le bain de vapeur occasionne de petits malaises mais ils sont insignifiants et passagers.

"Il ne fait aucun doute qu'il faille entraîner les gens de notre nation à consommer plus d'aliments naturels et arrêter l'usage de tant de substituts sans valeur nutritive. Aujourd'hui, les gens réalisent que le meilleur médicament est la nourriture."

Royal S. Copeland,
Sénateur de New York, à Washington.

Voici ce que dit, de l'arthrose, le Dr J.H. Tilden, médecin naturiste: "Cette maladie est due, elle aussi, à une altération de la nutrition. La diathèse est "goutteuse" (arthritique). Elle affecte presque invariablement de gros mangeurs de féculents, gros mangeurs de pain. Les personnes travaillant dans des endroits humides, sur des terrains bas et marécageux, des régions mal drainées, sont susceptibles de contracter cette maladie."

Les Suppléments alimentaires recommandés

Les naturopathes recommandent, en plus, certains suppléments alimentaires comme vitamines, minéraux et oligo-éléments. Voici donc une liste de ces suppléments et leurs rôles dans notre organisme.

Le Cuivre

C'est un oligo-élément qui contribue à diverses fonctions enzymatiques. Il est très important pour la formation des globules rouges, le fonctionnement de la glande thyroëde, la production de l'énergie dans nos cellules et prend part au métabolisme du sucre. Il joue un rôle important dans la transformation de la vitamine C dans ses formes actives dans lesquelles il sert à la formation du collagène.

Le Fer

Il est essentiel à la formation des globules rouges qui transporte l'oxygène dans le sang. Il a aussi son mot à dire dans la formation du collagène. Sa carence nuit à la fixation du calcium et du phosphore.

Le Zinc

Il joue un rôle indispensable dans la formation de certains enzymes. Sa carence cause un déséquilibre du cuivre ou du calcium. Il participe au métabolisme des hydrates de carbone. On le retrouve dans la prostate et le sperme. Il est bon de savoir qu'à chaque éjaculation, un homme perd 25 mcg de zinc d'où, souvent, sa carence s'il n'est pas remplacé journellement par une bonne nutrition et/ou des suppléments adéquats. Tout comme le cuivre et le fer, il entre dans la formation du collagène.

Le Manganèse

Il contribue à la croissance et à la reproduction. Lui aussi, indirectement, joue un rôle dans la synthèse du collagène.

Les oligo-éléments, ces minéraux essentiels au bon fonctionnement du corps mais dont on n'a besoin qu'en très petite quantité, seront surtout fournis par une bonne alimentation; mais il est souvent utile, à cause de la pauvreté du sol de nos terres arables, de prendre certains suppléments qui contiennent de l'iode, du magnésium, du potassium, du calcium et de la silice; je pense, ici, aux 12 sels biochimiques du Dr. W. H. Schuessler, qui se présentent en un seul comprimé.

Le rôle des vitamines, dans l'alimentation, n'est plus à définir. Les vitamines A, C, D et E sont essentielles dans toutes les maladies qui nous intéressent ici et leur carence ou leur présence influera grandement sur notre état fonctionnel.

Les maladies Pulmonaires

Chacun sait, sans toutefois s'en soucier vraiment, que l'air est essentiel à la vie et que cet air doit être le plus pur possible. Il est reconnu que, dans les villes, l'air est pollué; c'est pourquoi les citadins ont grand intérêt à s'en évader aussi souvent qu'ils le peuvent et se diriger vers la campagne et les montagnes où l'air est beaucoup plus sain.

L'oxygène, contenu dans l'air, est indispensable au sang car il s'unit à l'hémoglobine des globules rouges pour former l'oxyhémoglobine qui est transportée dans toutes les parties du corps pour les régénérer.

La pratique de la respiration profonde est très bonne car elle donne de l'amplitude à la cage thoracique et contribue à l'acquisition d'une bonne posture mais, par elle-même, elle n'apporte pas plus d'oxygène au sang car la consommation d'oxygène est proportionnelle au degré d'activité: nous reviendrons là-dessus, un peu plus loin.

A chacune de vos respirations, vous inspirez des milliards de molécules d'oxygène. Chaque fois que vous expirez, vous expulsez des milliards de molécules de gaz carbonique ou anhydride carbonique: gaz vicié résultant du travail des cellules. Cet échange chimique a commencé dès votre première respiration, lors de votre naissance, s'est poursuivi sans arrêt par la suite, et se produira encore 24 heures sur 24, jusqu'à votre mort. La respiration est automatique c'est-à-dire que même lorsque vous dormez, vous n'arrêtez pas de respirer. Cependant. on peut la contrôler en faisant des exercices respiratoires, par exemple. Les poumons sont comme deux éponges roses et plus ou moins tachetés de gris selon le degré de pollution auquel on est ou on a été soumis. Il y a dans l'air des millions de particules invisibles à l'oeil nu et qui sont irritantes. Que nous vivions à la ville ou à la campagne, nous sommes exposés à la poussière, aux gaz nocifs, à la suie et à une multitude d'autres substances polluantes. Les principaux responsables sont: les automobiles, les camions, les usines de toutes sortes, les incinérateurs et les hauts fourneaux qui rejettent des hydrocarbures, du bioxyde de soufre et quantité d'autres substances polluantes toxiques. Pour ceux qui vivent dans les grandes villes, y respirer l'air toute la journée équivaut à fumer deux paquets de cigarettes.

De plus, si vous fumez, vous inhalez directement dans vos poumons des gaz comme le monoxyde de carbone et des substances nocives comme le goudron et la nicotine. Le goudron tache vos poumons et peut causer le cancer. La nicotine contracte vos vaisseaux sanguins, diminue la circulation sanguine réduisant ainsi la quantité d'oxygène dans tout votre organisme. Le monoxyde de carbone chasse littéralement l'oxygène des globules rouges de votre sang (vous vous asphyxiez par petites doses). Une seule bouffée de cigarette suffit à perturber votre échange gazeux. Qui ne connaît les méfaits de la fumée du tabac, en général et de la cigarette, en particulier? Cette dernière est la cause principale des maladies pulmonaires et les autres polluants de l'air en augmentent le facteur de risques. Lorsque vous inhalez de la fumée de cigarettes, vous respirez aussi d'autres matières polluantes et irritantes lesquelles, combinées avec la nicotine, ralentissent l'action de l'un des systèmes de protection de vos poumons: les cils vibratiles. Ce sont les millions de poils microscopiques qui tapissent les bronches. Normalement, ils ondulent douze fois par seconde balayant les microbes et les poussières avant qu'ils ne pénètrent dans vos poumons. Une seule bouffée de cigarette suffit à les ralentir. Après plusieurs années de tabagisme et autres pollutions, ces cils vibratiles peuvent être paralysés ou même détruits. Alors, vos poumons deviennent vulnérables à toutes sortes d'infections et de problèmes. De plus, la fumée de cigarettes et les autres substances toxiques rétrécissent vos voies respiratoires rendant ainsi les échanges gazeux plus difficiles et même pénibles. Chaque année, 35 000 Canadiens meurent prématurément à cause de leur manie de fumer. Un nombre encore plus grand est condamné à vivre au ralenti à cause de poumons mutilés et d'un coeur épuisé. Et que dire des milliers, sinon des millions d'autres qui ne fument pas et qui sont obligés de respirer la fumée des fumeurs invétérés?

On impute à la cigarette et au tabac un nombre considérable de cas d'essoufflement, de toux chronique, de bronchite chronique, d'asthme, d'emphysème, de cancer du poumon et d'affections cardio-vasculaires.

Une seule cigarette accélère vos pulsations cardiaques, augmente votre tension artérielle, perturbe la circulation du sang et de l'oxygène dans vos poumons, provoque une baisse de la température de votre peau au niveau des doigts et des orteils.

L'Essoufflement

Il se caractérise par une gêne respiratoire, une sensation de suffocation. Cependant, il ne faut pas le confondre avec la respiration haletante ou saccadée qui peut se manifester lorsqu'on est très excité ou lorsqu'il fait très chaud ou très humide.

L'essoufflement peut être normal après un effort physique intense, une course ou la pratique d'un autre sport comme le tennis, etc. Quelques minutes de repos suffisent généralement pour reprendre une respiration normale. Il en va tout autrement si l'essoufflement est causé par la cigarette. Si vous fumez un paquet de cigarettes et plus par jour, cet essoufflement peut être l'indice d'une affection respiratoire car il est un signal d'alarme précurseur d'une grave maladie des poumons comme: l'asthme, l'emphysème, la bronchite, la pneumonie, etc.

La Toux chronique

Si vous toussez régulièrement durant un mois ou plus, vous êtes affecté par une toux chronique. Cette toux, qu'elle ne se produise que le matin et/ou le soir ou qu'elle soit presque continuelle, est un signe d'intoxication et d'irritation de la gorge et des voies respiratoires.

Il peut arriver que votre toux provoque des douleurs à la poitrine et que vos expectorations soient teintées de sang: c'est un signe que vous êtes gravement affecté.

Une toux chronique n'est pas une maladie en soi. Elle est plutôt un indice d'une affection des voies respiratoires.

Les causes les plus fréquentes de toux chroniques sont: le cancer du poumon, la bronchite, les bronchectasies, la tuberculose et autres.

La Bronchite

C'est l'inflammation de la muqueuse des bronches. Elle comporte deux phases: la bronchite aiguë et la bronchite chronique.

La bronchite aiguë peut être simple, capillaire, localisée ou encore dite segmentaire ou circonscrite.

Les bronchites ont toutes les mêmes symptômes: la toux, qui sert à expulser les sécrétions bronchiques; l'expectoration du mucus ou du mucus purulent; la respiration difficile; la douleur au thorax et, le plus souvent, une fièvre légère qui est même parfois complètement absente. Un refroidissement est souvent le point de départ d'une bronchite aiguë. Elle débute par une douleur derrière le sternum accompagnée de chaleur. Le malade ressent un malaise général et une élévation de sa température. La maladie évolue vers une toux grasse et expectorante et, quelques jours après, se résorbe graduellement.

Le Traitement conventionnel

Il comporte des révulsifs, des sédatifs de la toux, des médications expectorantes et des antibiotiques. Évidemment, le malade doit garder le lit.

Le Traitement des médecines douces

Le naturopathe reconnaît qu'une bronchite aiguë, comme toute autre maladie des voies respiratoires, d'ailleurs, a une cause alimentaire, à la base, le plus souvent due: 1) à la suralimentation; 2) à la mauvaise combinaison sucre et féculent; 3) à l'emploi d'aliments trop riches et trop concentrés; 4) à l'exposition à d'autres influences irritantes comme le tabac, l'alcool, etc.. Il prescrira donc le jeûne ou abstention de tout aliment solide durant deux ou trois jours. Ensuite, il fera prendre des jus de fruits: pomme, raisin, citron dans de l'eau distillée chaude et des jus de légumes frais ou des bouillons de légumes. Le repos complet sera de rigueur surtout s'il y a fièvre. Un bain chaud au sel d'epsom, chaque jour ou un bain sauna, si disponible sur place. S'il y a constipation, on donnera un ou plusieurs lavements si nécessaire ou encore l'irrigation du côlon.

Durant la diète liquide, on fera prendre de la vitamine C en bonne quantité soit de 2 à 3 g par jour pour détoxiquer l'organisme.

Au début, on traitera de même une bronchite chronique puis, après les jours de jeûne et la diète aux jus, on réalimentera avec des aliments alcalinisants c'est-à-dire légumes verts crus et légumes jaunes cuits. On boira de l'eau distillée et on humidifiera l'air de la maison en le changeant souvent par une bonne ventilation quotidienne.

On bannira de l'alimentation les gras, la farine blanche et les sucres raffinés, le thé, le café, les épices, les condiments, le lait, le beurre et les fromages. On banira les fumeurs de la maison.

Le patient devra apprendre à parler lentement, penser lentement, respirer profondément et relaxer.

Voici, maintenant, une recette pour aider à soulager les rhumes et les bronchites:

1 cuillerée à soupe de graines de lin

30 g de racine de réglisse

115 g de raisins secs

2 1/4 litres d'eau distillée

Faire mijoter le tout et réduire à un peu plus d'un litre. Ajouter 113,4 g de miel et voir à ce qu'il soit bien dissout. Au coucher, boire un verre à eau de cette préparation en y ajoutant 1 cuillerée à soupe de jus de citron.

La Bronchite chronique

Par la voix de l'Association Pulmonaire du Québec, voici ce que la médecine allopathique nous dit au sujet de la bronchite chronique:

"Bien qu'il soit difficile de compiler des statistiques précises concernant la fréquence de la bronchite chronique, tous sont d'accord pour observer son accroissement progressif au cours de ces dernières années. On s'accorde pour dire, aujourd'hui, qu'il y a dix fois plus de cas de bronchite chronique qu'il y a douze ans. Cette maladie qui touche les voies respiratoires est bien connue au point de vue pathologique et physiologique, et est caractérisée par une toux chronique avec expectorations matutinales. Si ces critères de toux et d'expectorations se retrouvent dans l'interrogatoire d'un malade durant une période de trois mois...et deux années consécutives, le diagnostic de bronchite chronique s'impose.

Bien que l'histoire naturelle de la bronchite chronique commence à être bien connue, il existe encore de nombreuses discussions concernant son étiologie (causes). Cette maladie fait l'objet de recherches mondiales, surtout au point de vue épidémiologique et étiologique. Bien que l'accord ne soit pas unanime, il semblerait que l'hypersécrétion de la muqueuse bronchique soit le premier stade de la maladie. Cette hypersécrétion s'accompagne, pour plusieurs, d'un rétrécissement du calibre des voies respiratoires. Cette première modification de l'arbre bronchique amène une diminution du mécanisme de défense de l'appareil respiratoire et favorise les infections bronchiques. Les infections bactériennes et virales aggravent le processus d'hypersécrétion et de rétrécissement des voies respiratoires et conduisent à leur obstruction irréversible donc, à l'emphysème pulmonaire.

La plupart des auteurs s'accordent pour dire que cette première manifestation d'hypersécrétion de mucus est due essentiellement à la consommation de cigarettes, à la pollution atmosphérique, à l'empoussiérage et à des affections respiratoires jouant un rôle similaire. Par la suite, le mécanisme de défense étant diminué, le rôle des bactéries et des virus aggrave le problème. Ainsi, les mesures préventives qui s'imposeraient deviennent évidentes, si on accepte cette hypothèse de développement de la bronchite chronique. Mises à part certaines causes héréditaires d'hypogammaglobulinémie (diminution d'un de nos systèmes de défense), de fibrose kystique fruste et d'obésité, il est rarissime de rencontrer des cas de bronchite chronique chez les gens qui n'ont jamais fumé et ont toujours vécu en milieu non pollué.

La fumée de cigarette en causant une hypersécrétion bronchique importante et un rétrécissement notable du calibre des voies respiratoires, de même qu'une diminution du mécanisme de défense immunologique de l'arbre bronchique, diminue aussi le travail de défense du macrophage alvéolaire. La pollution atmosphérique joue un rôle moins important, mais elle agit en synergie avec la fumée de cigarette. Il est observé chaque jour que la suppression de ces deux causes majeures amène une rémission de la maladie au début de son évolution.

Il nous faut donc raisonnablement conclure avec ces données que les deux seules mesures préventives efficaces actuellement, dans la prévention de la bronchite chronique, sont l'arrêt de la cigarette et la correction de la pollution atmosphérique dans les endroits où elle est suffisante pour provoquer des modifications de l'arbre bronchique. La première mesure préventive indiquée est individuelle et sera obtenue grâce à l'éducation populaire. La seconde est du ressort de nos législateurs et des Gouvernements.

«Je suis bien d'accord avec l'auteur, lorsqu'il dit que la cigarette et la pollution atmosphérique sont des causes de la bronchite chronique mais là où je ne suis plus d'accord avec lui c'est lorsqu'il dit qu'elles sont les deux seules causes de la bronchite chronique. Il oublie, et peut-être ne le sait-il pas, que la pollution des aliments et la prise, en trop grande quantité, de tous les remèdes chimiques, en vente libre, sont des causes, à mon point de vue, encore plus importantes, et plus graves, de la bronchite chronique.»

Le célèbre savant français, Henri Fabre, écrivait, dans ses Souvenirs Entomologiques: "L'homme succombera, tué par l'excès de ce qu'il appelle la civilisation."

Ennemi de la pollution ne veut pas dire: ennemi du progrès. Loin de là! Le progrès a ses exigences qu'il ne faut pas ignorer. Les ignorer, c'est vouer le monde à sa perte. La pollution est un problème *universel, global, vital* et *urgent*. Certains grands esprits et penseurs de ce monde ont déjà sonné l'alarme. Le biologiste Jean Rostand, le médecin Alexis Carel, le chimiste Linus Pauling, ont déjà crié au secours. Tous sont d'accord pour dire qu'il faut suivre un régime alimentaire plus conforme aux lois de la nature.

Plus près de nous, au sud du quarante-cinquième parallèle, Richard Nixon, ex-président des États-Unis d'Amérique, a dit: "La dépollution de la planète est l'un des problèmes les plus graves du monde d'aujourd'hui. Si rien ne se fait à ce sujet, dans dix ans, il sera trop tard et dans vingt ans, la terre sera invivable, la pollution ayant atteint le point d'irréversabilité".

Si ces paroles ne vous impressionnent pas, les faits suivants devraient vous convaincre. Les Gouvernements américain et canadien s'accordent pour dire que le lac Érié est mort. Les autres Grands Lacs: Ontario, Huron, Michigan et Supérieur mourront-ils bientôt de la même façon? Qu'adviendra-t-il de notre beau fleuve St-Laurent qui y prend sa source? Connaîtra-t-il un sort meilleur? L'expédition récente du bateau

"Greenpeace", sur ce même fleuve, pour y prélever des échantillons d'eau, en face de plusieurs usines qui y déversent encore, impunément, leurs eaux usées, sans les traiter, a analysé ces mêmes échantillons et a déclaré à La Presse que le degré de pollution de ces eaux était inacceptable. Cette expédition nous a fait perdre nos illusions, à ce sujet, si nous en avions encore. Et les océans, malgré leur immensité, connaissent, eux aussi, la pollution. Le Commandant Cousteau, grand explorateur des abîmes océaniques, estime que la vie dans les mers a disparu dans une proportion de 40 %.

La guerre atomique, la guerre bactériologique, l'explosion de la population, la famine, tous ces fléaux du 20e siècle ne sont rien en regard de la pollution. La pollution est la pire menace que l'humanité ait jamais connue.

La pollution est une affaire de survie à la grandeur de la planète. Ce n'est plus seulement une affaire de tourisme, une affaire de conservation de la flore et de la faune; c'est maintenant une affaire de santé publique. Il y a quelques années, les mordus de la baignade se sont vus fermer des plages. Les amants de la nature et les amateurs de pêche ont vu ce qu'ils n'avaient encore jamais vu: de nombreux poissons flottants sur l'eau, le ventre en l'air, morts étouffés et empoisonnés par la pollution de nos rivières et de nos lacs. Je disais, un peu plus haut, que la pollution est un problème *universel* car elle ne touche pas uniquement un milieu, un territoire, une région. Elle couvre la terre entière car l'air et l'eau se déplacent continuellement et tout polluant se retrouve à mille lieues de son point d'origine à cause du vent et des pluies (qu'on se rappelle Tchernobyl). La pollution est aussi un problème *global* car elle ne se limite pas à un milieu, à un élément donné. Le poison, qui flotte dans l'air aujourd'hui, se retrouvera dans le sol et dans l'eau et de là, dans le poisson et les crustacés, la plante, l'animal et, finalement, dans l'homme qui est au bout de la chaîne alimentaire. La pollution est un problème *vital* car elle empoisonne l'être humain. Si son milieu est sain, l'homme vivra en bonne santé; si son milieu est malsain, l'homme pourrira dans ses chairs (c'est exactement ce qui se produit avec les nombreux cancers).

La pollution est un problème *urgent* car elle est une atteinte directe et immédiate à la survie de l'espèce humaine. Elle est une menace pour la santé du corps et de l'esprit.

Dans vingt, peut-être vingt-cinq ans, la pollution (si on ne s'en occupe pas) aura atteint un point de non-retour. Sont-ce là des paroles de fataliste, de pessimiste ou d'alarmiste? Je ne le crois pas. La terre n'est pas un amas de choses inertes mais, au contraire, elle est un organisme vivant. Et tout ce qui est vivant est menacé de mourir. La nature impose des lois à l'homme et si celui-ci transgresse ces lois, c'est la mort à brève échéance qui l'attend.

Dans l'euphorie de la science, du progrès, de la technologie, beaucoup trop de gens oublient la pollution. L'appât du gain endort leur conscience: «après moi le déluge,» semblent-t-ils dire. D'autres inconscients, par leurs activités industrielles, pseudo-scientifiques ou législatives, pensent servir l'humanité mais, dans trente ans et même dans cinquante ans, l'humanité aura au contraire à combattre encore les méfaits produits par leurs activités néfastes.

C'est l'eau qui nous a montré les premiers signes de la pollution: poissons morts flottant à la dérive, montagnes d'écume blanche ou parfois de couleur s'accumulant à la surface de certains cours d'eau spécialement aux pieds des rapides, odeurs nauséabondes sur les berges de certains cours d'eau et lacs de nos régions et l'on pourrait encore citer plusieurs autres exemples. La nature étant un tout, on voit d'autres signes de pollution se manifester dans les autres milieux écologiques, l'air et le sol. Il serait illogique de s'imaginer une eau polluée sans un sol et sans un air déjà pollués. Et l'homme, vivant dans ce milieu pollué et se servant constamment de ces trois éléments pollués devient nécessairement pollué. Tant vaut l'habitat, tant vaut l'habitant.

Quelles sont donc les causes de cette pollution? Elles sont nombreuses. Les cheminées d'usines qui poussent comme des champignons? Elles ont leur part mais c'est surtout la surpopulation de la planète et l'urbanisation à outrance qui sont les vraies responsables. Il y a cent, deux cents ans, les déchets des populations étaient surtout organiques. Ils se décomposaient facilement et retournaient à la terre d'où ils venaient. Le cycle naturel s'accomplissait. Aujourd'hui, les besoins artificiels de l'homme se sont multipliés et avec eux les produits artificiels ou synthétiques sont venus nous submerger. Ces produits sont, pour la plupart, inorganiques et ne se décomposent pas parce qu'ils sont rendus à leur plus simple élément. Le mercure et le plomb en sont les meilleurs exemples. La nature n'étant pas armée pour lutter contre cette pollution, elle se soumet et se laisse polluer.

Il est très malheureux de constater que la pollution n'effraie pas tout le monde. Elle laisse indifférents les évolutionnistes c'est-à-dire ceux qui croient que l'être humain est capable de s'adapter à n'importe quelle situation et à tous les milieux. Mais, attention! Il y a des limites à la capacité d'adaptation d'un individu. Combien de millions mourront avant qu'un seul être humain ait réussi à s'adapter à ce nouveau milieu? L'homme peut vivre avec plus ou moins d'air mais il ne peut vivre sans air.

Que nous reste-t-il à faire? Vous répondrez, sans doute, qu'on doit dépolluer. Oui, mais la solution n'est pas si simple que cela. Il réside un certain danger dans cette dépollution: soit que l'on se serve de moyens naturels, soit que l'on emploie des moyens artificiels qui pollueront davantage.

Aujourd'hui, dans le domaine médical surtout, on a tendance à supprimer les symptômes par des palliatifs, des analgésiques et on oublie la cause. Il pourrait en être de même pour la pollution. La conception naturelle serait d'éliminer complètement la *cause* de la pollution. La chose étant, la plupart du temps, impossible ou, du moins, très difficile, on aura alors recours à une solution artificielle. Prenons comme exemple les phosphates qu'on remplace par l'ANT (acide nitriletriacétique). Est-ce mieux? L'avenir seul le dira. Voici un autre exemple. On résout le problème des déchets solides en les jetant à la rivière ou autres cours d'eau: on pollue ces eaux. Le plus grand danger de la dépollution est donc de remplacer un problème par un autre.

Et qui paiera le coût de cette dépollution? Ce sera le contribuable-consommateur car si le Gouvernement et l'industrie, séparément ou conjointement, se décident à lutter contre la pollution, l'un augmentera les taxes et l'autre, le prix de ses produits. Mais, en retour, n'appartient-il pas au contribuable de décider de la qualité de son environnement en commençant lui-même à ne pas polluer?

Donc, lorsqu'il s'agit de notre survie, faut-il s'arrêter et se demander qui doit agir en premier et combien ça coûtera? Les Gouvernements essaient de justifier leur léthargie en invoquant les sommes fabuleuses qu'il faudrait dépenser pour lutter contre la pollution. Mais la pollution est plus coûteuse encore que la dépollution. D'ailleurs, quand il s'agit d'une guerre, les

Gouvernements trouvent toujours l'argent nécessaire. On n'a jamais demandé aux Canadiens s'ils voulaient dépenser un demi-milliard de dollars par année pour la défense nationale; le Gouvernement l'a fait, tout simplement!

Mais toute législation contre la pollution n'est pas obligatoirement coûteuse; par exemple: la lutte contre la pollution par le bruit. Il n'en coûterait rien, ou si peu, aux Gouvernements, et par le fait même, aux contribuables, d'interdire le bruit infernal des motocyclettes en obligeant l'installation de silencieux appropriés, au moment de la fabrication. Et pourtant, les différents paliers des Gouvernements ne font rien à ce sujet.

Mais, face à la pollution, les citoyens ordinaires peuvent beaucoup. Chacun, dans son milieu, peut et doit combattre la pollution. Le citadin, en réduisant ses déchets le plus possible; le villégiateur, en organisant, le plus efficacement possible, sa fosse septique afin de ne pas polluer son lac; et ainsi de suite tout le long de la chaîne.

Le citoyen ne détient aucune autorité sur son voisin, sur l'industrie et, encore moins, sur les Gouvernements. Il se trouve donc limité dans sa lutte contre la pollution. A un certain palier, il ne possède aucun pouvoir de coercition. Il ne peut plus agir. Les autorités publiques doivent donc intervenir et au plus tôt. On s'étonne que ces dernières aient pris tant de temps à se rendre compte de la gravité du problème. Si, par générosité, on peut comprendre les pouvoirs publics de n'avoir pas prévu les dégâts écologiques causés par la pollution passée, on ne peut leur trouver d'excuse pour ne pas prévenir de nouvelles pollutions.

La lutte à la pollution est d'abord et avant tout un problème politique. Et cette réflexion m'amène à vous parler de la pollution des aliments.

Les aliments, dans leur formes naturelles, nourrissent parfaitement notre organisme, purifient notre intestin et maintiennent notre vitalité à son maximum. Notre corps est composé de cellules et de tissus vivants et il a besoin d'aliments vivants pour se nourrir et se fortifier, pour être en santé et pour vivre longtemps. Je crois fermement que l'on peut vivre centenaire si l'on sait bien s'alimenter. Il ne faut pas avoir peur de la vieillesse: c'est une évolution normale, une transformation vitale, un mûrissement nécessaire. C'est l'occasion d'acquérir la sagesse, de jouir de la tranquillité, de la paix et de la sérénité. Combien de personnes, dans ce monde, vivent cet idéal?

Si nous écoutons la nature, elle nous enseigne à bien vivre, à bien manger pour éviter la souffrance, la douleur, l'angoisse, la sénescence. Grâce aux principes de la vie naturelle et d'une alimentation saine, vos faiblesses disparaîtront, vos souffrances seront éliminées et vous éloignerez le temps de la déchéance physique qui entraîne souvent la déchéance mentale. Nous pouvons rester jeunes longtemps si nous suivons les lois de la nature.

L'Homme est fait pour vivre plus de cent ans. Nous mourons tous prématurément. Nous creusons notre tombe avec nos dents. Il est vrai que notre civilisation moderne nous empêche souvent de vivre selon les lois de la nature. Nous devons donc lutter contre notre apathie, contre notre milieu et son conformisme, si nous voulons éviter les souffrances que nous apporte la vie moderne. Cette lutte nous demandera des sacrifices, oui mais, par contre, elle nous apportera la santé, le bonheur et la joie de vivre véritablement et non pas d'une façon factice comme veulent le laisser croire certaines campagnes publicitaires tapageuses qui nous rebattent les oreilles et nous en mettent plein la vue avec leurs mensonges quotidiens nous vantant des produits nocifs à longue échéance; des produits dénaturés, chimifiés, qui font de nous et de nos enfants des êtres dégénérés et malades traînant une vie misérable et malheureuse.

Arrêtons-nous un moment et demandons-nous ceci: "Pourquoi y a-t-il, de nos jours, autant de personnes malades, jeunes ou vieux? Quelle en est la cause?" Il n'y a jamais eu autant de savants médecins ou autres scientistes de la santé, qui se consacrent à la recherche du produit chimique miracle qui pourrait mettre fin à la maladie. Mais, malgré tout ce que vous pouvez croire et penser, je vous dis, moi, humble naturopathe, que tous ces savants font fausse route. Ils ne trouveront jamais un produit *chimique synthétique* qui redonnera la santé à l'humanité. Plus ils s'entêteront, moins ils trouveront. Ils devront, finalement, s'avouer vaincus et abandonner cette lutte inutile et revenir à la source de toute vie: la *nature*. Vous en voulez une preuve? Le grand savant qu'est le Dr Linus Pauling, deux fois prix Nobel, a annoncé au monde entier que la vitamine C, que l'on trouve dans les fruits et les légumes, prévient et guérit le rhume et non pas l'aspirine qui ne peut causer que des troubles internes. Les naturopathes savaient cela depuis longtemps. Vivez selon les lois de la nature et vous vivrez selon le plein sens du mot. Vous resterez en pleine forme intellectuelle et physique, vous donnerez un rendement maximum, vous ferez le bonheur de votre famille et de votre entourage. Vous sèmerez la joie et le bonheur de vivre et vous rayonnerez de santé. Vous rajeunirez de cinq ans et même de dix ans. Vous retrouverez la taille de votre jeunesse, votre visage resplendira, vos yeux brilleront, vos muscles se réveilleront et enfin, tout votre organisme reverdira.

L'aliment est la base de la vie. Quels sont donc les aliments qui peuvent nous procurer tous les bienfaits énumérés plus haut? Il n'y a aucun doute que ce ne sont que les aliments naturels. Ce sont des aliments qui n'ont été traités d'aucune façon et qui sont encore tels que la nature les a produits. Le meilleur exemple sont les fruits et les légumes frais. Ces aliments naturels doivent être organiques, c'est-à-dire avoir poussé sans engrais chimiques; ils doivent être purs, dans leur état naturel, sans ajout, sans mélange; ils doivent être vivants c'est-à-dire entiers avec tous leurs constituants naturels; ils doivent être frais, par opposition à vieux, à gâtés; ils doivent être crus plutôt que chauffés, brûlés, cuits ou surcuits (sauf, bien entendu, certains légumes et les céréales qui doivent être mangés cuits); ils doivent être naturels c'est-à-dire sans colorants, émulsifiants, édulcorants, additifs quelconques, insecticides, pesticides, etc.; ils doivent être sains c'est-à-dire adaptés aux besoins de l'homme et spécifiques à son milieu; ils doivent être savoureux et mûris à point; en un mot, ils ne doivent pas être pollués.

La pollution de l'air et de l'eau est une pollution facile à comprendre et contre laquelle on s'insurge d'instinct. Mais la pollution des sols par les engrais chimiques et la pollution de nos aliments par d'innombrables additifs chimiques et synthétiques n'éveillent pas les mêmes protestations parce que ces deux formes de pollution se font sous le signe de l'infaillible technologie. Personne ne pense à protester contre la présence, dans nos aliments, de pipéronal à saveur de vanille car bien peu sont au courant. Pourtant, tout délicieux soit-il, le pipéronal ferait un excellent pesticide: il s'avère très efficace contre les poux.

Les dangers de la pollution, pour notre corps, consistent à permettre l'entrée, dans notre organisme, de substances étrangères plus ou moins toxiques. Ce n'est pas la toxicité d'une seule bouchée d'un aliment pollué qui peut nous empoisonner;

c'est la perpétuelle répétition, trois fois par jour, durant des années, du même acte alimentaire donc, du même poison, qui fait passer ainsi dans notre organisme des quantités considérables de polluants. Nous absorbons, annuellement et à notre insu, avec nos aliments, environ 1,36 kg d'additifs chimiques synthétiques de toutes sortes. En fait, nos aliments renferment des centaines d'additifs différents. Et la médecine allopathique est très peu renseignée sur les effets de ces additifs sur le corps humain. De nos jours, il y a trop de maladies dégénératives dans le monde pour que nous repoussions, au nom du progrès scientifique, l'immense domaine de la pollution des aliments. On sait, d'ailleurs, depuis 1957, que certains colorants utilisés dans les aliments, donc approuvés par le Département des Aliments et Drogues, provoquent le cancer chez les rats. Deux de ces colorants synthétiques, le jaune AB et le jaune OB, servent à colorer le beurre et la margarine. Certains scientifiques estiment que 25 % des additifs chimiques, dans les aliments, provoquent le cancer.

Il y a plus de cinquante ans, le monde vivait davantage en milieu rural; l'homme possédait une ferme ou un jardin et n'avait qu'à sortir de sa maison pour cueillir sa nourriture. La grande majorité des femmes restaient au foyer, préparant elles-mêmes les plats et assuraient tous les autres travaux domestiques. Avec le mouvement des masses vers les grandes villes, avec le travail des femmes en dehors du foyer, avec l'amélioration des routes et des moyens de transport et, bien sûr, avec le développement de la chimie, le problème de l'alimentation passa, en très peu de temps, du jardin familial ou de la ferme ancestrale à l'industrie. Celle-ci se trouva placée devant un immense problème de conservation.

Elle le résolut en remplaçant les anciennes méthodes par l'adjonction de produits chimiques aux aliments. Avec la commercialisation, la concurrence, la publicité, les additifs chimiques prirent une place de plus en plus grande dans notre alimentation. Aujourd'hui, des préservatifs, des colorants, des édulcorants, des pesticides, des fongicides, des antioxydants, bref tous les cosmétiques alimentaires nés de l'imagination des chimistes, polluent nos aliments qui sont ainsi présentés comme étant les plus sains et trouvent leur chemin jusque sur notre table.

On peut diviser les différentes formes de pollution alimentaire sous deux titres: d'abord la pollution par carence et ensuite la pollution par chimification.

Si on enlève, à un aliment, quelques-uns des ingrédients qui le composent et qui en font sa valeur, il y a pollution par carence puisque le consommateur se trouve privé de matières vitales pour le bon fonctionnement de son organisme.

Depuis au moins cinquante ans, l'industrie alimentaire soumet les produits de la terre à un raffinage excessif soit pour les rendre soi-disant plus attrayants aux yeux du consommateur, soit pour en prolonger la conservation ou bien encore pour synchroniser leur maturation avec l'arrivée sur le marché, à la date calculée. Selon le Dr Henry Schroeder du Dartmouth Medical School, la transformation et le raffinage des aliments, en leur enlevant les minéraux essentiels à la santé, nous exposent à un danger plus grand et plus sérieux encore que celui des pesticides ou de l'anhydride sulfureux. La transformation du blé en farine blanche et raffinée, par exemple, lui fait perdre 86 % de son manganèse, 76 % de son fer, 89 % de son cobalt, 68 % de son cuivre, 78 % de son zinc et 48 % de son molybdène. Tous ces oligo-éléments sont essentiels à la vie et à la santé. De plus, blanchi, le blé se trouve dépouillé de presque toutes ses vitamines B et E. Le pain, aliment de base traditionnel, n'est tout simplement plus du pain: les minoteries l'ont déjà privé de plus de vingt vitamines naturelles et le boulanger s'est empressé de les remplacer par quatre vitamines *synthétiques*. Comble de l'ironie, on appelle le pain du boulanger: pain enrichi. Une expérience en laboratoire a prouvé que deux rats sur trois nourris uniquement avec ce soit-disant pain enrichi, mouraient dans les quatre-vingt-dix jours.

Nous faisons tellement confiance à la technologie que nous ne posons même plus de questions au sujet du contenu de nos achats à l'épicerie. Pourtant, tous les produits que nous y trouvons, sans exceptions, contiennent plusieurs additifs chimiques ajoutés dans le but de les farder pour frapper l'oeil ou le goût de l'acheteur. Même l'écorce des oranges est chimifiée. Pour s'assurer de la couleur parfaite, on y ajoute une teinture à base de goudron. Souvent, l'excellente saveur de cerise de certains desserts n'est rien d'autre que de l'aldéhyde C-17. On retrouve cet additif dans les plastiques et le caoutchouc synthétique. La saveur d'ananas nous vient parfois de l'acétate d'éthyle, un solvant pour les plastiques et les vernis. Ses dangereuses vapeurs provoquent des affections chroniques au foie, au coeur et aux poumons.

Maintenant, parlons donc des pretzels. Un citoyen de la ville de Milwaukee apprit, à ses dépens, que l'on se servait de soude caustique dans la fabrication des pretzels. Après en avoir mangé, il ressentit une forte sensation de brûlure à la bouche. L'enquête qui s'ensuivit, menée par les autorités gouverne-mentales, dévoila que les pretzels en question avaient été fabriqués par une équipe qui, accidentellement, avait doublé la dose de soude caustique au moment du glaçage. On utilise aussi la soude caustique pour dégraisser et débloquer les tuyaux d'éviers...

Voici encore d'autres exemples d'aliments chimifiés. Je vous fais grâce de la nomenclature des noms chimiques. Dans le pain on met un antimoisissant, un émulsifiant, un agent de maturation, un améliorant, un conditionnant à pâte, un agent de blanchiment et de la poudre à pâte qui contient un ingrédient acide. Dans les céréales, on met un antioxydant, des teintures rouge et jaune, un certain acide, etc. Dans la saucisse, le jambon épicé et la viande hachée: un antioxydant, un antisoli-difiant, un mordant, un préservatif, etc. Dans le beurre: un agent de blanchiment, un colorant, un antioxydant, etc. Dans la salade de fruits: un germicide, un antibrunissant, un agent pelant, un raffermissant, un fongicide, un préservatif, etc. Et ainsi de suite pour tout ce qui passe dans nos estomacs.

Bien qu'en usage depuis plus de vingt ans, certains additifs alimentaires, tenus pour inoffensifs par l'Admi-nistration des Aliments et Drogues, inquiètent sérieusement les gardiens de la santé publique. On a soumis, récemment, certains de ces additifs à une nouvelle réglementation. En voici une liste édifiante:

1. Glutamate monosodique: provoque des lésions au cerveau de jeunes souris.
2. Saccharine: semble être une cause du cancer de la vessie.
3. Huiles végétales bromées: réduisent le taux de croissance chez les rats.
4. Glycirrhysin ammoniacal: dérègle l'équilibre acido-basique.
5. Bisulfite de potassium: agit sur les matières nutritives et produit des substances toxiques.
6. Peroxyde d'hydrogène: modifie les matières alimentaires par des effets semblables aux radiations ionisantes.

7. Esters de l'acide tartarique: action incertaine mais suspecte.

Le sel de table (chlorure de sodium) est un danger pour tous mais plus spécialement pour les bébés. En effet, il entraîne une élévation de la pression sanguine. Les viandes traitées, pour bébés, contiennent de cinq à six fois plus de sel que les viandes non traitées; les légumes traités en contiennent de six à soixante fois; les céréales traitées, jusqu'à cent fois plus.

La substance appelée nitrosamine provoque le cancer. On ne trouve pas cette substance dans l'organisme humain normal. C'est le produit d'une réaction entre une amine et un nitrite.

Les amines sont des substances qu'on peut trouver dans notre organisme. Elles peuvent provenir du catabolisme des protéines composées d'acides aminés. Il suffit donc d'ingérer des nitrites pour qu'une réaction dangereuse et possible, se produise. Ces nitrites, l'industrie alimentaire moderne nous les fournit gracieusement dans les viandes fumées, les hot-dogs, les jambons, le corned beef, la mortadelle et cela avec à la bénédiction des Aliments et Drogues d'Ottawa et de Washington.

Après avoir nourri de nitrites et d'amines des souris de laboratoire, deux chercheurs de l'Université du Nebraska ont observé des tumeurs malignes aux poumons de la majorité de leurs cobayes. Deux autres savants écrivent ce qui suit, dans la revue scientifique "Nature": "Il y a lieu de croire que les nitrosamines ont une incidence sur le cancer dans notre société industrialisée".

Les technologistes responsables de l'alimentation ont recours, pour se déculpabiliser, au vieux principe de toxicologie: "Tout est poison, rien n'est poison; tout est affaire de dosage."

L'erreur de ces spécialistes en adultération des aliments est de ne pas faire de distinction entre, d'une part, une substance normale, naturelle et essentielle au corps humain et, d'autre part, une substance anormale et indésirable pour notre organisme. L'additif chimique est une substance indésirable et donc un poison, quelle qu'en soit la dose. La question n'est pas de savoir si l'on est plus ou moins empoisonné mais bien de comprendre que l'on s'empoisonne à manger des aliments chimifiés et à respirer de l'air pollué. Une seule solution existe pour ne pas être empoisonné par la pollution: c'est de respirer de l'air, de boire de l'eau et de manger des aliments ne contenant aucun polluant.

Du reste, l'organisme vivant ne se débarrasse pas toujours totalement des matières toxiques absorbées. La dose d'aujourd'hui peut ne pas être mortelle mais si la détoxication de l'organisme par les reins et le foie n'est pas terminée avant l'absorption de la dose du lendemain, cet organisme deviendra l'hôte d'une accumulation qui pourra très bien s'avérer dangereuse après quelque temps.   Si, en détails, les conséquences de la chimification des aliments sont difficiles à circonscrire, en gros, elles sont évidentes: les maladies infectieuses des siècles derniers ont été remplacées par des maladies de dégénérescence. Aujourd'hui, on ne meurt plus, en bas âge, de la variole: on meurt à cinquante ans de cancer ou d'insuffisance cardiaque. Une marche-arrière s'impose. Les défenseurs de l'adultération des aliments, toutefois, ne le voient pas du même oeil. "A cause des distances, des difficultés climatiques, des habitudes acquises et des nécessités de l'entreposage, disent-ils, les additifs seront toujours nécessaires". A mon point de vue, il faut voir le problème sur deux plans. Au premier plan, on trouve les colorants,les édulcorants: substances qui modifient la saveur des aliments. Ces produits chimiques servent à farder, à maquiller, à mieux faire vendre des aliments qui, de toute façon, se vendraient tout aussi bien s'ils n'étaient ni colorés, ni parfumés ni sucrés. Tous les additifs de cette catégorie servent mieux les intérêts du marketing que la santé des individus. Le retour en arrière, dans ce cas-ci, serait l'interdiction complète de l'usage de ce genre d'additifs dans nos aliments.

Au deuxième plan, on trouve surtout les additifs permettant la conservation des aliments. Sur ce plan, le retour en arrière veut tout simplement dire le remplacement des additifs artificiels par des additifs naturels ne causant aucun effet secondaire.

L'Emphysème

Chaque année, environ 1 200 personnes meurent des suites de l'emphysème. C'est une maladie grave qui affecte plusieurs milliers de Canadiens. C'est une maladie respiratoire chronique qui peut être traitée. Elle provoque des lésions anatomiques.

L'emphysème affecte surtout les hommes de 50 à 70 ans, gros fumeurs depuis de nombreuses années. Elle peut aussi affecter certaines personnes qui ont une déficience héréditaire d'un enzyme appelé l'antitrypsine alpha-1. Cette déficience les prédispose à souffrir d'emphysème, mais c'est très rare.

L'emphysème est une maladie insidieuse à évolution lente et progressive. Au début, c'est l'histoire de cette personne qui depuis quelques années souffre, chaque hiver, de plusieurs gros rhumes accompagnés de fortes toux. Puis, la toux persiste entre les rhumes et devient chronique. Ces symptômes n'inquiètent généralement pas le malade.

La personne ressent ensuite de l'essoufflement à l'effort, essoufflement qui se manifeste surtout au réveil et au coucher. C'est cet essoufflement qui l'inquiète et l'incite à consulter un médecin parce qu'elle craint de souffrir d'asthme ou d'une infection cardiaque. Déjà, la maladie s'est installée.

La cigarette est la cause la plus fréquente de l'emphysème mais des infections bronchiques répétées peuvent aussi être à l'origine de la maladie. Les bronches sont des conduits qui relient la trachée aux poumons. Elles ressemblent aux branches d'un arbre renversé qui se ramifient et se divisent en bronchioles avant d'aboutir aux alvéoles pulmonaires. Ces dernières assurent la distribution de l'oxygène dans le sang et l'évacuation du gaz carbonique. Lors d'une infection bronchique, certains conduits peuvent s'obstruer et emprisonner l'air dans les poumons. Une infection bronchique peut aussi entraîner la rupture des parois des alvéoles pulmonaires et la destruction des petits vaisseaux sanguins, ce qui affecte le taux d'oxygène dans le sang.

Lorsque l'infection persiste ou récidive, les poumons se dilatent et n'assurent plus aussi efficacement l'échange gazeux (oxygène-gaz carbonique). On assiste alors à l'apparition de l'emphysème.

Au début, le malade ne ressent qu'une gêne respiratoire au réveil et au coucher. Par la suite, un effort minime comme une courte marche suffit à l'essouffler. Puis la gêne respiratoire devient permanente lors d'efforts légers et même au repos. Ce malade est devenu un invalide respiratoire.

L'emphysème provoque des lésions irréparables au niveau des alvéoles pulmonaires. La qualité de l'échange sanguin est altérée, ce qui oblige le coeur à fournir plus d'effort pour distribuer le sang. Le coeur peut même se distendre sous l'effort et le malade meurt d'une défaillance cardiaque.

Le Traitement conventionnel

Les techniques médicales modernes permettent d'améliorer la qualité de vie des personnes souffrant d'emphysème. Les traitements sont palliatifs, c'est-à-dire qu'ils visent à soulager les symptômes d'essoufflement sans guérir la maladie. Le malade peut, généralement continuer à travailler si sa profession n'exige pas de gros efforts physiques. Il doit absolument arrêter de fumer afin de prévenir les infections et les inflammations et ralentir la détérioration de sa condition. Le malade peut aussi apprendre à améliorer sa fonction respiratoire au moyen de techniques d'oxygénothérapie et d'exercices de rééducation respiratoire.

Les recherches médicales n'ont pas encore permis de découvrir comment prévenir l'emphysème. Elles ont par contre permis d'identifier certaines causes de la maladie.

L'usage du tabac est la cause la plus fréquente d'emphysème. L'arrêt de l'usage du tabac est une mesure préventive qui permet d'éviter l'apparition de la maladie.

La pollution atmosphérique est aussi une cause importante d'emphysème. Il faut donc veiller à s'exposer le moins possible aux polluants domestiques et industriels.

Les infections respiratoires sont souvent à l'origine de l'emphysème.

Le Traitement par la médecine conventionnelle

Selon l'Association Pulmonaire du Canada, qui reflète la philosophie de la médecine allopathique, l'emphysème est une maladie grave qui provoque des lésions anatomiques irréparables. Cette maladie peut être soignée mais non guérie. Elle dit encore que les personnes atteintes deviennent des invalides respiratoires qui doivent apprendre à vivre malgré leur maladie.

Elle offre, toutefois, les conseils préventifs suivants:
1. Consultez un médecin dès l'apparition des premiers symptômes.
2. La plupart des personnes atteintes sont de gros fumeurs: cessez de fumer.
3. Si vous avez des problèmes de digestion, parlez-en au médecin.

4. Adoptez de saines habitudes de vie.
5. Évitez l'air pollué.
6. Consultez un médecin dès les premiers symptômes d'un rhume ou d'une infection respiratoire.

Les Traitements par les médecines douces

On dit qu'une image vaut mille mots. Je veux donc illustrer mon exposé en donnant en exemple un cas que j'ai vécu il y a quelques années.

"Vous n'avez plus que quatre ou cinq ans, tout au plus, à vivre. Vous irez de médecin en médecin, d'hôpital en hôpital, d'injection de cortisone en injection de cortisone, de tente à oxygène en tente à oxygène; vos crises deviendront de plus en plus fréquentes et douloureuses. Vous êtes un malade chronique et votre maladie ne se guérit pas. La médecine (allopathique) ne peut plus rien faire pour vous."

C'est ainsi qu'un médecin s'adressait à un grand malade chronique qui souffrait, depuis au moins sept ans, de bronchite asthmatique compliquée d'un emphysème pulmonaire avancé.

La pollution de l'air est sans aucun doute, une des causes de plusieurs maladies pulmonaires mais combien plus grande est la pollution de notre organisme par la fumée du tabac, par les remèdes chimiques et par les additifs chimiques que l'on retrouve malheureusement, de plus en plus, dans notre nourriture.

Le cas cité plus haut n'est pas fictif et n'a pas été choisi au hasard. Ce grand malade arriva, un jour d'été, à mon bureau de consultations. Il avait peine à marcher et était soutenu par deux amis qui le portaient, presque. Il avait le souffle court, l'oeil hagard et cerné, le teint bilieux et le front fiévreux; il était décharné jusqu'à ressembler à un squelette ambulant. Un cas dit "désespéré" et abandonné par la médecine allopathique.

Puisqu'il se confiait à mes soins et que, de plus, il était un ami de longue date, je lui fis une place dans ma maison et lui fis entreprendre, sans plus attendre, une cure de désintoxication qui fut très pénible, et pour lui et pour moi. Cette cure dura six semaines et fut suivie d'une cure de régénération de son organisme. Durant la cure intensive de désintoxication, j'en profitai pour lui enseigner les éléments de base d'une alimentation saine, naturelle et équilibrée.

Dès la deuxième semaine de cure, cet homme de 36 ans, qui n'avait pu dormir couché depuis deux ans et demie car il éprouvait une forte sensation d'étouffement et d'écrasement de sa cage thoracique, dès qu'il se couchait, reposait maintenant de façon normale sans plus éprouver de malaises. Puis, après trois mois, son état s'améliora de 50%. Ce que la médecine chimifiante n'avait pu accomplir en sept ans c'est-à-dire l'amélioration de l'état de santé de son patient, la médecine naturelle l'accomplit en quelques semaines.

Aujourd'hui, après plus de vingt ans, cet ancien moribond est toujours en bonne santé et a, au cours de ses années de vie missionnaire, fondé et dirigé un orphelinat pour garçons et filles au Mexique et vient d'en faire construire et d'en ouvrir un autre en Équateur pour les enfants déshérités. Il a retrouvé non seulement la joie de vivre mais la force d'accomplir le travail qui lui tenait le plus à coeur. Il me confiait, il n'y a pas très longtemps, qu'il devait faire continuellement des efforts pour continuer à suivre les directives de santé qu'il a acquise au cours des années car les tentations du laisser-aller alimentaire sont grandes dans le monde moderne.

Les maladies pulmonaires, comme toutes les autres maladies, sont traitées avec succès par les méthodes naturelles de santé qui ont à leur disposition plusieurs éléments et facteurs naturels très efficaces lorsqu'ils sont employés avec science et opportunité.

La chimiothérapie ne fait qu'engourdir ou endormir la douleur et les symptômes et ne fait qu'aggraver l'état du malade.

La naturopathie, et quelques autres disciplines de médecine naturelle, offre, actuellement, les traitements les plus efficaces et les plus sûrs pour la guérison des maladies des voies respiratoires.

Il y a quelque temps, je recevais, de l'Association Pulmonaire du Québec, un feuillet dont la lecture m'emballa au plus haut point car il s'accordait complètement avec mes convictions et avec ce que je conseille depuis plus de vingt-quatre ans. C'est donc avec leur entière approbation et avec grand enthousiasme que je me permets de le reproduire, intégralement, ci-dessous:

Comment s'arrêter de fumer en dix points

1. LE VOULOIR. Tout ce qui peut fortifier la volonté est à retenir.
- danger pour la santé
- coût

- esclavage
- danger d'incendie
- se documenter, presse
- livres, feuillets, dépliants, recherche
- films, diaporama

2. S'ARRÊTER TOTALEMENT. Les demi-mesures sont inefficaces: à la moindre fatigue ou contrariété, le fumeur augmente ses doses. L'expérience montre qu'il est plus facile de s'arrêter radicalement en une fois que progressivement. Certains ont même obtenu de meilleurs résultats en faisant précéder cet arrêt d'une saturation désagréable du tabac. D'autres se conditionnent pendant des semaines en se fixant une date d'arrêt.

3. CHOISIR LE MOMENT JUDICIEUSEMENT. De préférence en dehors d'une période de travail ou de grosses difficultés. La période des vacances est particulièrement favorable.

4. S'ENTOURER D'UN MILIEU FAVORABLE. S'arrêter en même temps que son conjoint, que des amis, que des collègues de travail. Le support du groupe est très précieux et permet en même temps de ne pas vivre dans une atmosphère enfumée (atmosphère à éviter au maximum lors de la désintoxication).

Faire savoir à son entourage qu'on s'arrête de fumer peut être une aide pour certains. DIRE: JE NE FUME PLUS

Porter un macaron.

Afficher des sceaux adhésifs dans sa voiture, à la maison, à son lieu de travail

5. SUPPRIMER LES TENTATIONS. Ne pas se mettre dans les situations où l'on a l'habitude de fumer. Combler les temps morts par une autre occupation. Évitez le café, le thé, le chocolat, l'alcool, le fauteuil confortable.

Ne pas s'attarder à la table après un repas.

Faire disparaître le tabac et ses accessoires (briquet, allumettes, cendrier) de son entourage. Ne plus avoir de cigarettes sur soi, ni chez soi, ni à son bureau.

6. INFLUENCER VOTRE CONSCIENT ET VOTRE SUBCONSCIENT. En affirmant votre décision de cesser de fumer et en insistant sur les bienfaits que vous en attendez.

•   cessation de la toux du matin, plus de voix enrouée;

•   plus d'haleine fétide;

- plus d'odeur de tabac sur les vêtements;
- plus de cendrier;
- meilleur goût des aliments;
- sensation de bien-être.

7. RESPIRER PROFONDÉMENT. Pour renforcer votre système nerveux. Les cellules nerveuses consomment, en effet, quatre fois plus d'oxygène que celles du reste du corps. Le manque d'air le déprime tout particulièrement. Faire 3 ou 4 respirations profondes dès que le besoin de fumer se fait sentir, lentement et en vidant bien les poumons. Les sports, la marche, l'exercice à l'air pur sont vivement recommandés.

8. AMÉLIORER L'ALIMENTATION pour réparer la fatigue nerveuse et activer la désintoxication.

- Mastiquez très bien vos aliments;
- Ne surchargez pas votre digestion. Surtout durant les premiers jours, évitez les excitants: thé, café, alcool, vin, bière, cidre, épices et les aliments lourds et indigestes (charcuterie, fritures, bouillons gras, sauces...).
- Donnez la priorité aux boissons saines: eau, jus de fruits, de légumes, infusions; aux aliments naturels, frais, riches en vitamines; aux fruits, aux légumes, aux aliments complets riches en sels minéraux; aux céréales complètes (pain complet, pâtes complètes, galettes de céréales...), riches en vitamines du groupe B; au fromage, oeufs, poissons (à condition que vous les digériez).
- Réduisez et même éliminez le sucre et les sucreries lesquelles, par leur préparation, sont privés de vitamines B (vitamines très importantes pour éviter la nervosité si fréquente au cours de la désintoxication tabagique). Vous pouvez, au contraire, ajouter à votre alimentation, du germe de blé, du blé germé ou de la levure de bière, pour répondre au besoin particulièrement important du système nerveux pendant la cure de désintoxication. - La viande est plutôt à déconseiller car sans les os qui contiennent les sels minéraux, elle se présente plus comme un excitant du système nerveux que comme un reconstituant.

9. DORMIR SUFFISAMMENT. Se coucher tôt car les heures avant minuit réparent mieux la fatigue nerveuse.Se lever tôt pour ne pas être pressé et pouvoir faire quelques exercices, en particulier respiratoires, pour se mettre en train.

10. ACTIVER LA CIRCULATION par l'hydrothérapie (douches, frictions), par la marche pour lutter contre les somnolences fréquentes à l'arrêt du tabac. Et si vous ne vous sentez pas assez fort pour vous arrêter tout seul, tâchez alors de participer à une thérapie de groupe qui vous soutiendra dans votre démarche.

CESSER DE FUMER: C'EST POSSIBLE ET VOUS EN ÊTES CAPABLE!

Les Troubles Circulatoires et l'Hypertension Artérielle : Tueurs numéro 1 au Canada et au Québec

Il n'y a pas un thérapeute au monde, ni un simple citoyen d'ailleurs, qui oserait nier l'importance d'une bonne et adéquate circulation sanguine. Lorsque les différents tissus et les nombreux organes de notre corps sont bien irrigés par un sang pur et fort, ils jouissent d'une santé à toute épreuve. Par contre, qu'un obstacle quelconque vienne entraver cette même circulation, c'est la stase, la congestion, l'oedème, l'hémorragie, le spasme, l'embolie, la thrombose qui se manifestent.

Voyons donc, d'abord, la signification de ces différents termes qui nous semblent rébarbatifs, à premier vue.

La stase, c'est le ralentissement de la circulation sanguine dans un organe ou une région donnée. La congestion, c'est l'accumulation du sang dans des vaisseaux qui se dilatent.

L'oedème, c'est le plasma qui s'accumule dans les tissus.

L'hémorragie résulte de l'éclatement d'un vaisseau sanguin, qu'il soit interne ou externe.

Le spasme est une contraction involontaire d'un muscle qui peut exercer, parfois, une constriction sur un vaisseau sanguin.

L'embolie, c'est l'obstruction soudaine d'un vaisseau sanguin par un corps étranger en migration. Ce peut être un caillot sanguin, des microbes, des cellules cancéreuses, des corps gras projetés, un corps étranger ayant pénétré dans l'organisme ou des bulles de gaz.

La thrombose, c'est la formation d'un caillot de sang, dans les cavités cardiaques, qui peut aller se loger dans les entrées ou les sorties des veines et des artères. Pour bien comprendre la circulation sanguine, il faut d'abord comprendre le fonctionnement du coeur, organe moteur par excellence.

Chez l'adulte, le coeur pèse à peu près un demi-kilo. Il est environ gros comme le poing et, malgré son peu de volume, c'est une pompe très puissante. Il travaille sans arrêt depuis presque le jour de votre conception et se repose à peine une fraction de seconde entre chaque contraction. Il a pour mission principale, de faire circuler le sang dans notre corps, pour le nourrir. Le coeur est un organe creux qui est divisé en deux parties: le coeur droit et le coeur gauche. Une cloison étanche isole ces deux coeurs qui sont eux-mêmes divisés en deux et ces deux moitiés communiquent entre elles par des ouvertures fermées par des valvules qui ouvrent chacune dans un seul sens c'est-à-dire que ce qui sort ne peut plus rentrer par la même ouverture. On obtient donc ainsi quatre cavités: deux oreillettes qui forment la partie supérieure du coeur et deux ventricules qui en forment la partie inférieure.

Le sang, chargé de déchets et de gaz carbonique arrive au coeur droit par les veines caves: il a une couleur rouge foncé. Le sang qui vient de la tête, du cou et des membres supérieurs arrive au coeur par la veine cave supérieure; celui qui vient du tronc et des membres inférieurs arrive par la veine cave inférieure. Par ces deux veines, le sang se jette dans l'oreillette droite qui sert de réservoir. De là, il passe dans la partie droite du coeur, le ventricule droit.

C'est une pompe qui se contracte et pousse le sang dans l'artère pulmonaire et ses branches pour aller effectuer l'échange de son gaz carbonique contre l'oxygène au niveau des alvéoles pulmonaires, ce qui a pour effet de lui redonner sa couleur rouge vif.

De là, il revient au coeur gauche, par les veines pulmonaires, qui elles-mêmes débouchent sur l'oreillette gauche: le sang se déverse alors dans le ventricule gauche. Ce ventricule se contracte et pousse le sang oxygéné dans l'aorte pour être distribué, d'abord dans le coeur lui-même par les artères coronaires, puis dans tout le reste du corps, sauf dans les poumons.

Je crois que je n'apprendrai rien à personne en disant que ce sont les maladies cardio-vasculaires qui sont responsables de plus de la moitié des décès chez les hommes et surtout dans la province de Québec où nous détenons le record canadien sinon mondial des maladies coronariennes.

De plus en plus, on jette le blâme sur le cholestérol et sur les aliments qui le véhiculent: surtout le gras animal dont le beurre, le saindoux, etc. Mais, ce ne sont pas là les seuls coupables. La cigarette, le lait homogénéisé et certaines autres substances nocives sont aussi dangereuses sinon plus. En lisant ce qui précède, vous direz peut-être: mais qu'ont donc à voir la cigarette et le lait homogénéisé avec les troubles circulatoires?

En fait, c'est la nicotine du tabac qui est à blâmer. Cette substance irritante est charriée par le sang et cause une irritation dans les veines et les artères donc, pour se défendre, notre corps produit du cholestérol qui enveloppe ces particules irritantes et les isole. Ce surplus de cholestérol va alors se déposer à l'intérieur de nos veines et de nos artères et, graduellement, s'épaississant, met de plus en plus obstacle au passage du sang. Pour une raison ou pour une autre, il arrive que des particules de ce cholestérol se détachent et vont faire un barrage que le sang est incapable de franchir et c'est une attaque qui se produit, avec toutes ses séquelles.

Quant au lait homogénéisé, voici ce qu'en dit le Dr. Kurt A. Oster, m.d., Chef Cardiologiste du Park City Hospital à Bridgeport, Connecticut, U.S.A. Il a recommandé la classification d'une nouvelle maladie appelée "plasmalogène". C'est le nom qu'il a donné à cette nouvelle maladie qui affecte le coeur et le système cardio-vasculaire (et possiblement d'autres organismes du corps humain) causant des problèmes tels que l'athérosclérose. Le facteur causal de la maladie du plasmalogène est la XANTHINE OXYDASE, une enzyme qui se trouve, en assez bonne quantité, dans le lait de vache mais qu'on trouve en quantité infinitésimale dans le lait humain.

Lorsqu'on boit du lait cru de vache, la *xanthine oxydase* (reconnue comme facteur *XO*) est détruite par les sucs digestifs de notre estomac et n'est donc pas dangereuse; par contre, lorsque le lait est homogénéisé, les globules de gras sont réduits en taille mais augmentés en quantité et se dispersent alors sur une plus grande surface. Ces petites particules de gras enveloppent et protègent les facteurs *XO* contre nos sucs digestifs. Alors, les *XO* quittent l'estomac, indemnes, pour l'intestin, traversent la paroi intestinale et entrent dans le système sanguin où ils attaquent la paroi interne des artères et autres vaisseaux sanguins ainsi que le coeur, endommageant et détruisant même les tissus. Histo-chimiquement, on peut démontrer que, de façon spécifique, un phospholipide appelé "plasmalogène", qui constitue 30 % des phospholipides du muscle cardiaque humain,est affecté par le processus d'oxydation. Des chercheurs ont démontré que les lésions athérosclérotiques sont causées par l'épuisement du plasmalogène. Le Dr. Osler dit ceci: "Lorsque nous procédons à des autopsies de personnes âgées, notre recherche nous a démontré que le facteur *XO* se trouve dans les lésions athérosclérotiques mais pas dans les tissus normaux et, surprenant, on peut aussi en trouver dans les tissus cicatriciels des victimes d'attaques du coeur."

Le muscle normal du coeur humain ne contient pas de *XO*. Ce dommage, causé aux tissus, déclenche le mécanisme de défense du corps et la glande pituitaire donne au corps le signal de produire du cholestérol, un agent guérisseur, qui se rend immédiatement aux endroits endommagés, s'y attache et commence le processus de guérison. Après quelques jours, mois et années, les artères et les autres vaisseaux sanguins deviennent couturés (de cicatrices) et remplis de cholestérol empêchant alors le sang d'irriguer les vaisseaux déjà endommagés. Les médecins, sachant que les artères sont embarrassées et endommagées, lorsqu'ils y trouvent des dépots de cholestérol, en ont conclus que ce dernier était le grand responsable des maladies du coeur. Par contre, il n'existe aucun rapport entre la quantité de lait bu et les maladies vasculaires mais il existe un rapport presque parfait entre la quantité de lait *homogénéisé* bu et les maladies vasculaires. Ceci établit, sans aucun doute, que les *xanthine oxydases* sont les vraies coupables. Voici ce que dit encore le Dr. Osler: "L'hypothèse des athéroscléroses produites par le facteur *XO*, proposée en 1968, s'est avérée fondée lorsqu'elle a été vérifiée par de nombreuses expériences au cours des années subséquentes. Deux voyages autour du monde pour étudier la consommation du lait par les diverses populations du globe, m'ont convaincu qu'il y a une plus grande incidence de maladies athérosclérotiques dans les pays où la consommation du lait *homogénéisé* est la plus élevée que dans les pays où le lait est bouilli, caillé ou peu consommé."

Il apparaît donc que le cholestérol est une manifestation d'un problème plus sérieux et basique, nommément, les stigmates laissés sur les tissus internes du système circulatoire par les *xanthines oxydases*.

Les Hypertensions

L'hypertension, c'est l'augmentation de la tension sur la paroi des artères ou des veines à cause d'une pression sanguine supérieure à la normale.

Tout le monde a une pression sanguine sans laquelle le sang ne pourrait pas circuler dans le corps.

La tension artérielle peut varier d'une journée à l'autre et même d'une minute à l'autre. Par exemple, elle peut baisser lorsque nous dormons ou monter lorsque nous sommes excités. Il ne faut pas s'en faire: ces changements sont normaux. Toutefois, lorsque la tension demeure élevée trop longtemps, il y a risque d'accidents cardio-vasculaires: défaillance cardiaque ou rénale ou bien même une crise cardiaque.

La plupart du temps, l'hypertension est décelée lors d'un examen de routine. C'est un mal si discret qu'une personne, du moins pendant les premières années, peut en souffrir sans s'en apercevoir. L'hypertension attaque l'organisme sans que des symptômes soient bien apparents. Cette dégénérescence cachée est l'un des plus graves problèmes de santé dans les pays occidentaux. Elle est considérée comme étant le plus grand facteur de risque pour les infarctus et les crises cardiaques. Ce n'est pas la vieillesse qui est, nécessairement, la cause de l'hypertension mais plutôt le stress de la vie moderne et ses nombreuses restrictions. Depuis sa création, l'homme est équipé de systèmes de défenses c'est-à-dire que lorsqu'il est attaqué, une dose d'adrénaline, hormone provenant des capsules surrénales, est injectée dans son sang et lui donne le ressort nécessaire pour se défendre ou fuir. Anciennement, même très anciennement, l'homme réagissait toujours de l'une ou de l'autre des deux façons précitées. Aujourd'hui, l'homme est devenu soi-disant civilisé et, la plupart du temps, il a appris à se restreindre - du moins physiquement - car une quantité de lois lui enjoignent de ne pas aller plus loin, au cours d'une agression physique, que de brandir le poing et de jurer, et encore. Il refoule donc ses instincts et sa tension monte. Si ce genre de situation se répète trop souvent dans sa vie quotidienne, il y a danger qu'une hypertension s'installe à demeure. Y a-t-il une solution?

Quelles sont les causes de l'hypertension chez les hommes?

1. La baisse du potassium causée par une consommation excessive de réglisse.
2. Le syndrome de Cushing, une maladie des glandes surrénales.
3. Une maladie congénitale qui consiste en un rétrécissement sur l'aorte, près de l'endroit où s'insère l'artère.
4. Une tumeur sur une glande surrénale causant une chute du potassium.

Les Traitements conventionnels

Habituellement, le médecin prescrira des anticoagulants, des hypotenseurs, des vasodilatateurs.

Avec les anticoagulants, il y a risque d'hémorragies s'il existe une ulcération au niveau du tube digestif; s'il y a péricardite de l'infarctus, néphrite interstitielle et lithiase et bien d'autres.

Avec les hypotenseurs, les risques sont tout aussi grands. On peut observer de la somnolence, de l'asthénie, de la diarrhée, de la congestion oculo-nasale, des vertiges, des nausées, des vomissements, etc., etc.

Quant aux vasodilatateurs, ils ne valent guère mieux. Habituellement, ces derniers produisent une grande accoutumance telle que l'interruption brusque d'un tel traitement entraînerait une dégradation rapide de la condition cardio-vasculaire.

En outre, très souvent, ces médicaments provoquent des troubles sexuels.

Les Traitements par la médecine douce

Le bon sens nous dicte la marche à suivre dans le traitement des maladies vasculaires: il faut en rechercher la ou les causes et les supprimer, qu'il s'agisse de causes physiques ou mentales. Donc, en d'autres mots, il faut entreprendre une désintoxication totale et radicale.

Ensuite, comme dans tous les cas discutés auparavant, une correction alimentaire s'impose. Voyons d'abord quels seraient les aliments à éviter: les légumineuses, les viandes grasses, le gibier, les viandes de porc, de dindon, de canard, les mollusques et les crustacés, les viandes en conserve. Tous les aliments purifiés et raffinés, les boissons alcoolisées, les oeufs et autres produits non frais, les pommes de terre germées ou verdies, les fruits pas assez mûrs, les fruits frais ou secs qui ont fermentés ou ont été traités, les noix cuites salées ou sucrées, les légumes fanés, jaunis, vieillis ou moisis, les sauces et les fritures, le café, le thé, le chocolat ou cacao, minéraux et vitamines synthétiques, les médicaments de toutes sortes, le poivre, la moutarde, les épices et les condiments, le vinaigre, les cornichons au vinaigre, les olives vertes.

Quant aux aliments permis, je vous reporte aux conseils déjà donnés plus haut (section "maladies pulmonaires", en particulier).

On conseille de faire de l'exercice dosé et contrôlé (voir plus bas), des enveloppements humides des membres, alternativement chauds et froids (on peut aussi procéder de la manière suivante: immerger le membre d'abord dans un bain chaud à 40,5 degrés Celsius, au maximum, durant 3 à 4 minutes puis le plonger dans l'eau froide durant 30 sec., max. - alterner de 3 à 6 fois et terminer par le bain chaud. Après le bain, s'assécher et garder le membre au chaud.) Un repos fréquent, de l'air pur et bien oxygéné, un climat plutôt sec dans une région bien ensoleillée, une maison construite en matériaux sains et orientée vers le sud, des bains de soleil progressifs et l'établissement d'une harmonie émotionnelle par une réduction des dépenses énergétiques excessives dans tous les domaines. Ici, je vous suggère fortement de lire le livre du Dr André Passebecq "Psychothérapie par les méthodes naturelles".

Les Exercices

Le premier exercice, et le plus salutaire, lorsqu'il est pratiqué selon les règles, c'est la marche. Tous ceux qui le peuvent devraient aller marcher à travers champs ou à travers bois le plus souvent possible. Ceux qui le peuvent devraient pratiquer l'alpinisme. L'idéal serait d'accomplir tous les exercices physiques à l'air pur et au soleil du matin ou de fin d'après-midi. L'été, il faut faire attention aux rayons brûlants du soleil du milieu du jour, soit de 11 h à 15 h.

Un autre exercice très salutaire est le cyclisme qui est le sport respiratoire par excellence car il augmente et accélère l'oxygénation qui réalise la transformation des aliments en énergie. Le cyclisme a aussi un excellent effet sur la souplesse des articulations des membres inférieurs.

Le cyclisme routier ou sur place (ergomètre), se pratique assis; tout le poids du corps porte sur la selle et le guidon

(guidon recourbé vers le bas comme dans les bicyclettes dites "de course"); les articulations de la hanche, du genou et de la cheville sont complètement dégagées de ce poids et travaillent dans une bonne amplitude de jeu par des mouvements précis, guidés en étendue et en direction par la longueur et la rotation des manivelles, qui se répètent des centaines de fois de suite, à une cadence régulière. Ceci a pour effet de les assouplir autant dans leurs surfaces articulaires que dans leurs ligaments d'union.

Pour ceux qui ne pourraient pratiquer les deux sports ci-haut mentionnés, voici d'autres suggestions: d'abord, il faut éviter les exercices qui comportent des mouvements courts, brusques et violents. Les exercices doivent permettre des mouvements larges et souples; pour le haut du corps, des exercices de rotation du tronc, de la tête, des bras et des épaules. Pour la colonne vertébrale, il faut faire des mouvements de balancier d'avant en arrière et d'un côté à l'autre. Pour le ventre et les jambes, des flexions de jambes répétées plusieurs fois, en position debout, s'accroupir en soulevant les talons et en gardant le corps bien droit ou bien, couché sur le dos, soulever les jambes à environ 15 cm du sol et ramener les cuisses sur le ventre en fléchissant les genoux. Un autre exercice, à faire sur le dos, consiste à soulever les jambes en perpendiculaire, le fessier soutenu en équerre par les bras et les mains, imiter alors les mouvements du cycliste c'est-à-dire pédaler.

Ces différents mouvements ou exercices peuvent être répétés de cinq à dix fois, au début et leur nombre de répétitions peuvent être augmentées graduellement jusqu'à trente à cinquante fois. Une foule d'autres exercices, aussi bénéfiques les uns que les autres, peuvent être pratiqués: on les trouve dans les bons manuels de conditionnement physique.

Des suppléments alimentaires naturels peuvent être pris, comme la vitamine E, en doses de 1 200 à 1 600 U.I. par jour: il est préférable de consulter un spécialiste de la santé qui vous prescrira la dose adéquate pour votre cas.

Voici quelques statistiques sur les décès causés par les maladies cardio-vasculaires:
En 1983, 80 174 personnes décédaient à cause d'une maladie cardio-vasculaire, soit 48 % des décès; en 1985, 181 323 personnes étaient terrassées par ces maladies, soit une augmentation de 101 149 personnes en deux ans seulement: n'est-ce pas alarmant? En 1985, dans la seule Province de

Québec, un total de 24 870 hommes disparaissaient, la plupart prématurément. Avec un peu plus d'attention, ces hommes seraient encore parmi nous.

En terminant cette section sur les maladies cardio-vasculaires, j'aimerais vous communiquer les onze règles à suivre pour devenir membre du "*Club des Cardiaques*":

1. Votre travail d'abord, votre santé ensuite.
2. Travaillez au bureau tous les soirs, les jours de vacances, les samedis et les dimanches.
3. Quand vous quittez le bureau, apportez du travail à la maison. Ainsi, vous pourrez passer en revue tous les problèmes et soucis de la journée.
4. Ne jamais dire "non" à une demande: dites toujours "oui".
5. Acceptez toutes les invitations à des réunions de comité, banquets et autres réceptions.
6. Ne profitez pas d'un repas paisible et agréable mais ajoutez- y une réunion d'affaires.
7. Chasse et pêche! Quel gaspillage de temps et d'argent. Vous ne rapportez pas assez de poisson ou de gibier pour justifier une telle dépense.
8. Ne prenez surtout pas toutes les vacances auxquelles vous avez droit.
9. Golf, jeu de quilles, billard, cartes, natation, bicyclette, jardinage, etc., sont des pertes de temps: ne faites rien de tout ça.
10. Ne déléguez jamais vos pouvoirs. Emparez-vous de toutes les responsabilités.
11. Si votre travail vous oblige à voyager, travaillez toute la journée et voyagez toute la nuit pour arriver à temps à votre rendez-vous du lendemain matin.

LES CANCERS

Le Cancer du Poumon

Tueur numéro 2 chez les Canadiens et les Québécois. Pour prouver cette affirmation, voici quelques statistiques qui sauront vous ouvrir les yeux:

En 1976, le cancer du poumon a causé la mort de 7 138 Canadiens. En 1985, on a enregistré 11 442 décès.

En 1987, la Société canadienne du cancer estimait que 12 700 Canadiens mourraient du cancer du poumon.

D'après le taux de mortalité par tranches d'âge, le cancer du poumon représentait la deuxième cause de décès chez les Canadiens de sexe masculin âgés de 25 à 74 ans.

On a prévu qu'en 1987, l'incidence du cancer du poumon s'élèverait à 14 900 cas.

Pour 1982-1983, on avait estimé que les coûts annuels d'hospitalisation reliés au cancer du poumon s'élèveraient à cent dix-huit millions de dollars (118 000 000 $).

En 1985-1986, ce chiffre est passé à cent cinquante-quatre millions de dollars (154 000 000 $).

Qu'est-ce que le cancer du poumon?
C'est une maladie causée par le développement désordonné de cellules anormales dans les poumons. Les cellules anormales n'accomplissent pas les fonctions des cellules normales. Au contraire, les cellules cancéreuses se multiplient et détruisent les tissus sains des poumons.

Quelles sont les causes du cancer du poumon?
La fumée de tabac, et spécialement la fumée de cigarettes, est reconnue comme cause principale du cancer du poumon. Environ un gros fumeur sur dix souffrira d'un cancer du poumon.

Lorsque la fumée de cigarettes est associée à l'exposition à d'autres produits toxiques en milieu de travail, les risques de souffrir d'un cancer du poumon atteignent des proportions alarmantes. A titre d'exemple, les travailleurs des domaines de l'amiante et de l'uranium qui fument la cigarette, s'exposent à des risques presque cent fois plus élevés de développer un cancer du poumon qu'un fumeur qui n'est en contact avec aucun de ces produits.

Qui souffre de cancer du poumon?
Le cancer du poumon se développe, la plupart du temps, chez des personnes âgées de 50 à 70 ans qui sont fumeurs réguliers depuis très longtemps.

En revanche, le risque d'être atteint d'un cancer du poumon s'estompe si une personne arrête de fumer. Les cellules anormales produites par l'exposition au tabac peuvent se régénérer et recouvrer des fonctions presque normales après dix ans de cessation.

Comment le cancer du poumon est-il dépisté?
La médecine moderne possède, aujourd'hui, de nombreux outils pour faire un dépistage adéquat d'un cancer du poumon:
- La radiographie thoracique qui peut révéler une tumeur ou des indices de sa présence.
- Le prélèvement et l'examen au microscope des crachats ou expectorations pour y déceler des cellules cancéreuses.
- L'examen bronchoscopique des voies respiratoires.
- La biopsie lorsqu'il est impossible de rejoindre la tumeur avec le bronchoscope, et qu'il n'y a pas encore de diagnostic.
- La médiastinoscopie qui consiste à introduire un tube à côté et le long des voies respiratoires pour faire une inspection directe des nodules lymphatiques à proximité des poumons.
- Et, finalement, quand tous les autres moyens d'établir un diagnostic valable ont échoué, on pratique une mini-thoracotomie.

Le Traitement allopathique
Puisque les personnes diffèrent entre elles et que les cancers ne se ressemblent pas nécessairement, c'est au médecin que revient la décision de traiter par chirurgie, par radiation ou par chimiothérapie ou bien encore par une combinaison de ces trois méthodes. Les différences, au niveau des interventions, sont déterminées en fonction de la sorte de cellules cancéreuses, de la localisation du cancer dans les poumons et de sa propagation dans les poumons ou d'autres parties de l'organisme.

La chirurgie peut "guérir" un cancer du poumon si la maladie est dépistée avant qu'elle ne se soit propagée à d'autres parties de l'organisme.

La radiothérapie est une forme de traitement à l'aide de rayons-X. Un faisceau de rayons produits par du cobalt radio-actif ou par un accélérateur linéaire est concentré sur la tumeur, à l'intérieur de la poitrine. L'effet cumulatif détruit les cellules cancéreuses.   La chimiothérapie est l'utilisation de substances chimiques spéciales pour traiter un cancer. Les substances chimiques peuvent détruire les cellules cancéreuses aussi bien dans les poumons que dans les autres organes où le cancer peut s'être propagé. *Plusieurs des substances chimiques utilisées dans la chimiothérapie en sont encore au stade de l'expérimentation.* Des essais avec les patients se poursuivent dans le but de découvrir quelles substances chimiques ou combinaisons de substances chimiques s'avéreront les plus efficaces contre les différents types de cancer du poumon. Du fait que ces substances chimiques sont fortes, elles provoquent toujours des effets secondaires comme des nausées et des vomissements, la perte de cheveux et des dommages dans le sang.

Le Cancer de la prostate

Parmi les cancers qui affectent l'homme en Amérique du Nord, le cancer de la prostate vient au second rang après le cancer du poumon. Chaque année, au Canada, près de 5 750 nouveaux cas de cancers de la prostate sont diagnostiqués et environ 2 200 décès sont rapportés.

La prostate fait partie du système de reproduction du mâle. Elle a pour fonction de fournir une partie des sécrétions qui constituent le sperme. Elle a la forme d'une petite olive et est constituée de tissu glandulaire et fibreux, mesurant environ 4 cm de diamètre. La prostate, située sous la vessie et en avant du rectum, entoure l'urètre, le conduit par lequel passe l'urine venant de la vessie.

Habituellement, ce sont les hommes de plus de quarante ans qui sont le plus souvent atteints par l'hypertrophie de la prostate. Hypertrophie et cancer peuvent présenter, au début, des symptômes similaires comme la difficulté d'uriner. Mais là s'arrête la ressemblance.

Le cancer est une maladie où des cellules anormales d'un organe ou d'un tissu se mettent à croître ou à proliférer de façon anarchique.

Le cancer de la prostate peut se manifester de trois façons différentes:

Les cellules cancéreuses peuvent former une tumeur qui se développe lentement dans la prostate, sans causer de problèmes sérieux. Plus souvent, les cellules cancéreuses forment une tumeur dans la région postérieure de la prostate. En évoluant, le cancer peut se répandre en dehors de la prostate, dans les ganglions lymphatiques environnants ou emprunter la voie sanguine et former des métastases dans d'autres organes.

Et finalement, plus rarement, une tumeur insoupçonnée et ne produisant aucun symptôme, peut se manifester par des métastases dans l'organisme.

Les signes et symptômes du cancer de la prostate sont les suivants:
• la rétention d'urine et le besoin fréquent d'uriner;
• du sang et du pus dans l'urine;
• une douleur persistante dans le bas du dos, le bassin ou le haut des cuisses.

Le Traitement allopathique

Le traitement prescrit par le médecin dépendra de certains critères comme l'âge, la santé et le stade de développement du cancer. Une surveillance attentive, la chirurgie, les radiations et l'emploi d'hormones comptent parmi les traitements utilisés.

Si, à son premier stade, la tumeur est confinée à la prostate, de nombreux médecins n'entreprendront pas de traitement particulier mais se contenteront d'observer de près l'évolution de la maladie. Une telle approche est admissible parce qu'en général, le cancer de la prostate se développe très lentement. C'est le plus souvent chez l'homme âgé, atteint d'un cancer de la prostate depuis plusieurs années, sans évolution apparente, qu'on décidera de faire simplement une observation attentive. Mais il arrive qu'on fasse alors une ablation partielle de la prostate pour soulager les symptômes du malade.

D'autres fois, on fera l'ablation complète d'une grosse tumeur qui reste confinée à la prostate.

Le traitement par radiation consiste à diriger les rayons pénétrants du cobalt ou des rayons X vers l'endroit affecté, ou bien encore, à implanter des grains radioactifs dans la tumeur elle-même.

On a recours, aussi, au traitement par les hormones quand le cancer est localement très avancé ou quand il s'est propagé de la prostate aux autres parties du corps. On élimine d'abord les hormones mâles par l'ablation des testicules ou par l'administration d'hormones femelles afin de contrebalancer l'effet des hormones mâles qui, autrement, stimulent le cancer de la prostate. Les hormones femelles inhibent les hormones mâles de telle sorte qu'elles retardent la croissance des cellules cancéreuses, allant jusqu'à les tuer. La chirurgie, les radiations et les hormones causent parfois des effets secondaires ou des complications désagréables. Les trois peuvent être la cause d'impuissance (impossibilité d'avoir une érection). Les radiations peuvent également provoquer des réactions cutanées, des nausées et une inflammation du côlon. Finalement, le traitement par les hormones peut faire grossir les seins.

Le Cancer du côlon et du rectum

C'est aujourd'hui le troisième plus commun des cancers. Plus de 6 000 Canadiens (hommes) en seront atteints, cette année. Près de la moitié de ces derniers en mourront au cours de l'année.

Chez l'être humain, la digestion des aliments se produit dans un long tube musculaire qui relie la bouche à l'anus (extrémité de l'intestin) et par lequel passent les aliments. Ils sont d'abord broyés dans la bouche puis baratés dans l'estomac où ils subissent une première digestion; ensuite, ils passent dans l'intestin grêle où ils sont dissous et où les éléments nutritifs en sont extraits et, finalement, la portion non utilisée des aliments est transférée dans le côlon ou gros intestin ou les liquides sont réabsorbés pour ne laisser que la partie solide qui s'accumule dans le rectum d'où ils sont finalement expulsés.

Le cancer du gros intestin possède les caractéristiques communes à tous les cancers. La tumeur prend ordinairement forme à partir des cellules qui tapissent l'intérieur du gros intestin, dites cellules épithéliales; mais, plus rarement, une tumeur maligne pourra prendre naissance au sein des tissus sous-jacents. Elle aura alors les caractéristiques d'une tumeur qui se développe dans un tissu musculaire, lymphoëde ou autre. Même les cancers issus de cellules épithéliales peuvent également différer énormément les uns des autres, à l'oeil nu comme au microscope.

Les symptômes varient selon le type de cancer et selon leur localisation dans le gros intestin. Le cancer du rectum est plus fréquent chez les hommes.

Le Traitement allopathique

La chirurgie. C'est la méthode la plus courante pour traiter un cancer localisé au côlon ou au rectum. L'opération consiste à enlever la section du gros intestin où loge la tumeur.

La radiothérapie. Elle n'est malheureusement pas efficace contre les cancers du gros intestin. On l'emploie surtout contre des tumeurs du rectum à proximité de l'anus de concert avec la chirurgie.

La chimiothérapie. Il y a pénurie de remèdes efficaces contre ce type de cancer. Les scientistes en sont encore au stade de la recherche. Dans cet ordre d'idée, je désire vous faire part d'un document dont je suis entré, récemment, en possession et qui vous renseignera sur ce dernier point. S'il ne vous guérit pas, il vous fera certainement dresser les cheveux sur la tête.

Après une chirurgie du côlon ou colectomie, voici ce que l'on propose aux patients, comme chimiothérapie, au cas ou des cellules cancéreuses se promèneraient en liberté dans le sang. Il s'agit du *protocole* de l'Hôpital Général Juif de Montréal au Centre du Cancer McGill que l'on demande aux patients de signer, s'ils consentent à un traitement par la chimiothérapie. Je cite textuellement:

"Étude NASBP d'une thérapie d'appoint pour un carcinome du côlon. Je comprends que j'ai subi une chirurgie pour l'ablation d'une tumeur au côlon. Dans de tels cas, il est possible qu'il y ait d'autres cellules cancéreuses ailleurs dans le corps et qu'une guérison permanente ne puisse en résulter même si l'opération a été un succès. Des recherches antérieures indiquent qu'en faisant usage de drogues en chimiothérapie (anti-cancer) on réduit de beaucoup la chance d'une récidive. On me demande de participer à un programme de recherches cliniques afin d'évaluer deux programmes de drogues différentes pour trouver lesquelles seraient les plus efficaces. Je comprends que je recevrai l'un ou l'autre des traitements suivants.

Le Groupe 1, recevra deux drogues, après la chirurgie: Leucovorin et 5FU. Ce traitement s'administre par une injection dans une veine, un jour par semaine, durant six semaines. Ce traitement est suivi par une période de repos de 21 jours. Ceci constitue un cycle. On répétera ce cycle six fois.

Le Groupe II, recevra trois drogues, après la chirurgie: Methyl CCNU, Vincristine et 5FU.

Ces drogues seront données par injections, directement dans une veine, durant cinq jours consécutifs. Ce traitement sera suivi d'une période de cinq semaines sans traitement et d'un nouveau traitement de cinq jours consécutifs. Un mois plus tard, le même processus se répétera. Ceci donnera un cycle de 70 jours. On répètera ce cycle cinq fois.

Choix au hasard

Puisque le bénéfice possible autant que les risques possibles ne sont pas connus, les patients seront assignés, au hasard, à l'un ou l'autre des deux groupes. Ceci veut dire que ni le médecin ni le patient n'ont le choix du traitement donné ou reçu puisque c'est la chance qui détermine le groupe d'appartenance. Ceci est une méthode scientifique valable lorsque l'on ne connaît pas lequel de deux traitements est le meilleur.

Les Risques et les Bénéfices

Le 5FU et le MethylCCNU peuvent avoir un effet dépressif sur la fonction de la moelle des os ce qui peut diminuer la quantité de globules rouges. Si cette dépression est sévère, elle peut causer une infection ou une hémorragie.

Ces drogues peuvent causer la nausée, le vomissement, la diarrhée et des ulcères dans la bouche. Même si les patients recevant ces drogues sont surveillés attentivement, les ulcères de la bouche peuvent être assez sévères pour limiter l'ingestion de liquide ce qui peut entraîner une déshydratation. Il sera donc très important que les patients rapportent de tels symptômes à leurs médecins.

Le Vincristine peut causer de la constipation, des crampes abdominales et un engourdissement ou des fourmillements dans les doigts des mains et des pieds.

Une perte des cheveux est possible mais ils repousseront aussitôt que la médication sera arrêtée.

Le médicament MeCCNU a déjà démontré une légère augmentation du risque de leucémie par rapport à la population générale. Le MeCCNU peut aussi causer des dommages aux reins. Le risque de dommage aux reins est toutefois minime, à la dose de MeCCNU utilisée pour l'étude.

Il y a aussi la possibilité d'autres effets secondaires inattendus n'ayant pas encore été rapportés. Je comprends que je rapporterai immédiatement, à mes médecins, tout effet secondaire éprouvé. La plupart des effets secondaires cités ci-haut peuvent être évités ou minimisés par une surveillance appropriée, un changement dans la posologie ou la prescription de drogues pour combattre ces effets secondaires. Je devrai subir des analyses de sang avant chaque traitement afin de déterminer les effets de mes traitements et le changement des dosages, si nécessaire. Une radiographie de la poitrine sera effectuée tous les six mois et un lavement au barium ou une endoscopie sera faite chaque année à chaque patient.

Je comprends qu'au cours de ma participation à cette recherche, tout traitement dont je pourrai avoir besoin sera disponible pour moi. Par contre, cette institution n'a aucun programme spécial de compensation pour lésions ou complications découlant de cette recherche.

Traitements alternatifs
Un traitement alternatif peut être le 5FU seul ou bien des drogues similaires peuvent être données seules ou combinées avec d'autres semblables à celles employées dans cette recherche. Rien ne laisse prévoir ou ne suggère qu'une autre thérapie est meilleure que celle proposée ici.

Je comprends que ma participation est volontaire. Je suis libre de retirer mon consentement en tout temps sans que cette action affecte ma chance de recevoir des traitements subséquents et continus. J'ai eu l'occasion de poser toutes les questions relatives à ma condition ainsi qu'au sujet des drogues sus-mentionnées et j'ai reçu des réponses satisfaisantes. Je comprends qu'en tout temps, je peux communiquer avec le représentant des malades de l'hôpital à...

Il se peut que les résultats de cette recherche soient publiés dans des revues médicales ou commentés lors de discussions médicales. Dans ces rapports et discussions, l'identité des patients ne sera pas révélée et une confidentialité appropriée sera respectée en ce qui me concerne. Mes résultats pourront être revus par des membres de l'Administration Fédérale des Drogues et de l'Institut National du Cancer qui ont la responsabilité de surveiller des programmes comme celui-ci.

Je comprends tout ce qui précède et j'indique, en apposant ma signature ci-dessous, que je consens à participer à cette étude."
Sans commentaires.

Les Traitements par les médecines alternatives

La médecine douce offre des conseils allant de pair avec sa philosophie, soit une bonne diète d'aliments naturels et l'influence de l'esprit et de l'humeur sur l'organisme. Que l'on choisisse la naturopathie, l'homéopathie, la phytothérapie ou l'acupuncture, toutes ont quelque chose à offrir.

Quand on parle de médecines alternatives, on parle, généralement, de prévention. Cela vaut pour les cancers comme pour les autres maladies: une alimentation saine et la plus naturelle possible, de l'air pur, de l'eau pure, du soleil, du repos, des suppléments naturels, au besoin; tous ces éléments conjugués feront en sorte de prévenir le cancer. Si on nous déclare, un jour, qu'on souffre de cancer, il ne faut pas, pour autant, se décourager et jeter le gant car, comme je le dis souvent à qui veut bien m'écouter: "Tant qu'il y a de la vie, il y a de l'espoir!"

Voici, à nouveau, ce que nous dit Royal S. Copeland, Sénateur de New York à Washington après avoir pris connaissance des méthodes naturelles (ce qu'il dit vaut autant pour les Canadiens que pour les Américains):

"Il ne fait aucun doute qu'il faille entraîner les gens de notre nation à consommer plus d'aliments naturels et à arrêter l'usage de tant de substituts sans valeur.

Aujourd'hui, les gens réalisent, de plus en plus, que le meilleur médicament est la nourriture".

Prenons-nous donc en mains et explorons les diverses avenues qui existent et qui s'offrent à nos pas chancelants. Quoique nous disent les tenants de la médecine convention-nelle, il n'y a pas que la chirurgie, les rayons-X, la radiothé-rapie et la chimiothérapie: il y a aussi les médecines douces, moyens naturels par excellence, sans fâcheux effets secon-daires comme ceux décrits plus haut.

Si on est atteint, il est toujours temps de se ressaisir. Il faut:

1. Ne pas perdre l'espoir; ne pas se décourager;
2. Ne pas écouter ceux qui nous disent que tout est fini;
3. Garder le sourire;
4. Se renseigner au plus vite sur les méthodes naturelles;
5. Arrêter l'intoxication, c'est-à-dire l'auto-destruction par les mauvaises habitudes de vie, les poisons chimiques de toutes sortes, les irritants comme le tabac, l'alcool (pour n'en nommer que deux), etc.
6. Se reposer le plus possible: physiquement et physiologi-quement.

Cette dernière recommandation m'amène à vous parler du jeûne thérapeuthique: méthode de repos, par excellence.

Le Jeûne

Le jeûne est l'abstention volontaire et complète de toute nour-riture, sauf l'eau.

Le jeûne est la méthode la plus rapide de guérison car il permet au corps de se désintoxiquer c'est-à-dire d'éliminer tous les déchets accumulés qui ont causé l'intoxication: la seule et unique maladie (comme je le disais au début de ce livre).

Durant un jeûne, le corps se nourrit des surplus de gras et de tissus inutiles accumulés dans l'organisme et rejette les déchets du métabolisme par l'urine, la sueur, les poumons et le côlon.   Le jeûne est efficace dans presque tous les genres de maladies à condition qu'on puisse le faire: a) jusqu'au retour de la vraie faim; b) que la maladie ne soit pas rendue à un point terminal ou dit de non-retour. Le jeûne, bien sûr, ne ressuscite pas les morts et ne fait pas repousser un organe qui a été enlevé ou qui s'est nécrosé ou desséché.

Pour que le jeûne soit vraiment efficace, il est important d'avoir le repos physique et mental en plus du repos physiologique qu'il procure.

Presque tout le monde peut jeûner. Il importe peu qu'une personne soit jeune ou âgée. Par contre, il va de soi que la durée du jeûne ne peut être la même pour tout le monde car il y a plusieurs facteurs à considérer: l'âge, le degré d'intoxication, les réserves du corps, le but que l'on veut atteindre et, finalement, le dernier et non le moindre: le temps et l'argent disponibles car il n'est pas du tout recommandé de jeûner seul, à la maison.

Une personne qui souffre d'arthrite depuis vingt ans, par exemple, devra normalement jeûner plus longtemps (pour se régénérer) qu'une autre qui n'a que vingt ans et qui ne fait que commencer à se plaindre de douleurs non localisées.

On peut aussi jeûner pour prévenir la maladie: c'est beaucoup plus valable.

Le Système immunitaire

Le système immunitaire constitue encore la base de l'approche alternative. De plus en plus de preuves cliniques établissent le lien entre le stress, l'affaiblissement du système immunitaire et le cancer.

Le but principal de l'approche alternative est de renforcer le système immunitaire à l'aide de différents moyens, mais il ne faut pas s'aventurer seul sur cette voie.

Existe-t-il un stéréotype des cancéreux?

Laurence Le Shan a établi une liste de caractéristiques communes aux personnes cancéreuses:
- une enfance turbulente;
- une piètre estime de soi;
- une relation filiale-parentale insatisfaisante;
- aucune porte de sortie via la créativité;
- une attitude renfrognée (en ce qui a trait aux émotions, surtout);
- une attitude défaitiste;
- la perte d'une relation affective importante.

Tout le monde a vécu l'une ou l'autre de ces situations. On pourrait mettre en doute la validité d'une telle classification en soulignant qu'elle porte à se sentir victime, coupable, qu'elle jette le blâme sur soi. Quoiqu'il en soit, connaître une perte affective engendre souvent une dépression.

La Visualisation

Cette technique, mise au point aux États-Unis par Carl et Stephanie Simonton, allie la respiration, la relaxation, la méditation, l'hypnose et la pensée positive. Il s'agit de considérer ses cellules cancéreuses comme étant faibles et de porter attention aux cellules saines qui combattent la maladie. Afin de mieux expliquer cette technique, voici un passage de "Love, Medicine and Miracles (éditions Rider), écrit par le docteur Bernie S. Siegel: "J'ai demandé à mon corps d'aller mieux, à mon système immunitaire de me protéger. J'ai imaginé mes os, mon cerveau, mon foie et mes poumons chaque soir. Je les ai sentis et leur ai demandé de se libérer du cancer. J'ai regardé mon sang couler plus facilement. J'ai dit à ma blessure de guérir plus rapidement et à ce qui l'entourait de se libérer du cancer. Je rejette le cancer! A bas le cancer!"

Une telle technique peut facilement s'adapter. Vous n'avez qu'à choisir des images qui vous plaisent. Pas besoin d'attaque dans votre monologue imaginaire. Comme le dit Bernie S. Siegel, le modèle guerrier ne convient pas à tous. Il peut même être inapproprié puisque les cellules cancérigènes sont les vôtres, sauf qu'elles se sont déformées. Imaginez plutôt vos globules blancs absorber les cellules cancéreuses. Ces images positives plaisent, en général.

La Signification du cancer

L'une des facettes les plus importantes de l'approche holiste consiste à faire comprendre aux patients ce que leur cancer signifie. Toute maladie, dont le cancer, sert de faux-fuyant. Elle nous permet de refuser certaines choses et de ne pas céder aux demandes parfois trop exigeantes de l'entourage.

La maladie, très souvent, permet de recevoir sans gêne l'attention et l'amour qu'autrement on ne demanderait pas. Une fois qu'on aura compris le besoin psychologique qui crée la maladie, les besoins qu'elle représente pourront être satisfaits autrement.

A Bristol, au centre d'aide pour les personnes atteintes du cancer, de même qu'à d'autres centres de médecines alternatives, on parle de cancer comme d'un moyen qui peut aider à transformer la vie et la perception qu'on en a. "Vivre au présent signifiait d'abord se connaître, être en mesure d'apprécier vraiment ces moments de silence qui nous font découvrir le sens profond de la vie et qui n'ont rien à voir avec la superficialité du monde moderne et cette hantise de vouloir accéder à la jeunesse éternelle." (Ann Oakley)

"Toutes ces histoires de guérison, parlant de la régression spontanée du cancer, font état d'un "revirement existentiel" chez les patients qui tient de l'espoir et d'une revalorisation, toutes deux liés à une acceptation de la part de responsabilité du patient dans le processus de guérison." (Patrick Pietroni)

Les MTS

La Syphilis et la Gonorrhée ou Blennorragie.
La syphilis et la gonorrhée sont essentiellement des maladies vénériennes c'est-à-dire qu'elles sont transmises lors de relations sexuelles.

Des deux, la gonorrhée est la plus commune et se diagnostique assez facilement, chez l'homme, par l'apparition d'écoulement de pus urétral. S'il y a infection, les symptômes apparaissent entre cinq et sept jours après la relation sexuelle: douleur au moment d'uriner, apparition de pus et besoin d'uriner fréquemment.

De nos jours, la syphilis est plus rare et plus difficile à diagnostiquer à cause de la lutte qu'on lui fait depuis l'apparition de la pénicilline, durant les années quarantes. Elle atteint surtout les hommes. Comme son incubation est longue (de deux semaines à un mois et même davantage), elle passe souvent inaperçue et n'est, plus tard, détectée qu'à l'occasion d'un examen sérologique (prise de sang).

Par exemple, un homme peut être infecté et ne pas s'en rendre compte; à l'occasion d'une autre infection, le médecin lui prescrit un antibiotique qui vient à bout de l'infection courante. Cet antibiotique n'est cependant pas assez fort pour tuer complètement les spirochètes; on obtient donc ce qu'on appelle une syphilis décapitée qui passe à l'état latent.

Si la syphilis n'est pas soignée, elle peut engendrer des maladies du coeur et du système nerveux. Au début, les symptômes sont de petites éruptions cutanées qui ne sont pas douloureuses et qui disparaissent après une dizaine de semaines. S'il y a chancre, il y aura aussi tuméfaction des ganglions avoisinants selon l'endroit où l'infection sera localisée. La tuméfaction disparaîtra en même temps que le chancre.

Le traitement conventionnel consiste en doses massives d'antibiotiques. Entrepris à temps, son succès est assurée.

Le Traitement par les Médecines alternatives
Légalement, seul un médecin allopathe qualifié est apte à soigner les maladies transmises sexuellement. Il existe cependant nombre de moyens pour renforcer la résistance corporelle.

La médecine alternative demeure toujours l'un des moyens les plus efficaces pour favoriser la guérison. La naturopathie et l'homéopathie offrent d'excellents remèdes (comme l'ail, par exemple, qui est un antibiotique naturel) de même que la phytothérapie. Un herboriste conseillera, pour un chancre, des compresses de myrrhe ou de consoude. L'aromathérapie proposera des huiles à utiliser soit par voie buccale, soit par bains de siège. Un thérapeute qualifié saura vous proposer la meilleure solution pour votre cas, en particulier.

Un jeûne total (à l'eau seulement) viendra à bout de ces maladies en trois ou quatre semaines, environ.

L'Herpès
Appelé aussi Herpes Simplex, l'herpès est une infection virale et diffère des infections étudiées jusqu'à maintenant qui étaient toutes d'origine bactérienne.

Le virus de l'herpès est celui qui donne des feux sauvages autour de la bouche. Sur les organes génitaux, il est plus fréquent chez l'homme que chez la femme.

L'herpès ne se transmet pas seulement par contacts sexuels mais aussi par contacts oraux, par les doigts et même par les serviettes humides. Si on vient en contact direct avec une lésion ouverte, on s'infectera. Généralement une semaine après le contact initial, se développe une première réaction. On sait que l'on a contracté l'herpès aux symptômes suivants: une sensation de brûlure et/ou de picotement, suivie de lésions pleines de liquide qui, lorsqu'elles se crèvent, se transforment en ulcères. Ces derniers sèchent et durcissent puis tombent sans laisser de traces apparentes. Parallèlement, on peut souffrir de douleurs à l'aine, faire de la fièvre et se sentir léthargique.

La première attaque est la plus violente. Celles qui suivent sont de moindre importance et durent moins longtemps. Seulement, il faut se rappeler qu'une fois que sont apparues les lésions, le virus demeure dans le corps à l'état latent et peut réapparaître lorsque vous êtes fatigués, stressés, malades et fiévreux, exposés à des rayons ultraviolets ou blessés.

L'herpès est contagieux dès que l'on sent les premiers symptômes jusqu'à ce que disparaissent les ulcères.

Le Traitement par la médecine traditionnelle

Dès que l'on sent apparaître les premiers symptômes, on doit consulter un médecin. Celui-ci effectuera un prélèvement pour confirmer le diagnostic et s'assurer qu'il n'y a pas d'autres MTS. Une fois le diagnostic confirmé, il vous dirigera vers une clinique spécialisée ou vous prescrira lui-même les médicaments.

Le traitement conventionnel, en usage aujourd'hui, consiste en des gelées ou des pommades pour enlever la douleur; ou encore des analgésiques en comprimés tels l'aspirine ou, selon le cas, un médicament plus fort. Le médecin pourra vous prescrire des antibiotiques s'il vous croit atteint d'autres infections bactériennes en même temps que d'herpès. Il existe de nombreux médicaments antibactériens sur le marché, mais ils détruisent non seulement le virus mais la cellule, ce qui entraîne des effets secondaires déséagréables. L'aciclovir (connu sous le nom de Zovirax) est le plus populaire des remèdes et, selon le journal médical The Practitioner, il est apparemment sans effet secondaires excepté si l'on souffre d'insuffisance rénale. Le Zovirax (sur ordonnance médicale seulement) semble écourter le temps d'infection et aide les lésions à se résorber et à guérir.

Les derniers rapports médicaux parlent d'un nouveau vaccin: il n'est pas encore disponible. On dit qu'il aiderait à prévenir les attaques, ce que l'aciclovir ne réussit pas. Alors, que peut faire la médecine alternative?

Le Traitement par la médecine alternative

En ce qui concerne l'herpès, la médecine douce s'oriente vers le régime alimentaire. Il existe, en effet, deux acides provocateurs ou inhibiteurs d'attaques. Une diète riche en lysine (acide aminé entrant dans la constitution des protéines) inhibe les attaques. Manger du poisson frais, du poulet, du fromage (pâte ferme blanche, le moins gras possible), des fèves de Lima, du fromage à la pie (cottage), du soja, des crevettes: ces aliments contiennent de la lysine et diminuent la fréquence des attaques. Par contre, les aliments qui contiennent de l'arginine (les noix, les graines de sésame, le cacao, le riz brun, le pain à la farine complète de blé, d'avoine ou de seigle, les raisins ou les graines de tournesol) semblent stimuler les récurrences de l'herpès. Il est important de préciser que ce ne sont pas ces aliments qui causent ou empêchent l'herpès; c'est ce qu'ils contiennent qui vous prédisposera ou non aux attaques du virus. En naturopathie, on soigne l'herpès de la même façon que les autres maladies infectieuses soit par le jeûne, des cures de jus, des suppléments à base de plantes, etc. Il faut suivre les directives des naturopathes à la lettre si on veut s'en sortir. Un supplément de vitamines B, C et E peut prévenir les attaques.

Le Systéme immunitaire

En plus de l'alimentation, la médecine douce se tourne aussi vers le système immunitaire. Ainsi que l'affirment North et Crittenden dans leur livre intitulé: "Stop Herpes Now" (paru chez Thorsons): "un système immunitaire en bonne santé aide à contrôler la prolifération et, en conséquence, l'organisme résiste aux infections. Les méthodes de relaxation, l'exercice et l'alimentation gardent le système immunitaire actif."

La méditation, le yoga, la visualisation et la relaxation sont autant de techniques encouragées par la médecine naturelle. L'homéopathie, l'acupuncture, la phytothérapie offrent des remèdes intéressants dont les infusions au clou de girofle, les compresses à l'essence de girofle ou à l'essence de menthe.

Quelques Traitements

- Un bain de siège ou un bain complet à l'eau tiède additionnée de sel de mer apporte quelque soulagement.
- On peut appliquer de la glace sur les régions affectées.
- Portez des sous-vêtements de coton.

- Gardez les lésions propres et sèches et lavez-vous à l'eau et au savon non parfumé (genre castille).
- L'application de sacs de thé refroidis aide à réduire l'inflammation.
- Il faut surveiller sa diète: manger des aliments riches en lysine et pauvres en arginine.

Quelques aliments riches en lysine: poisson, poulet, boeuf, agneau, fèves de Lima, fromage à la pie, fèves de soja germées, crevettes, écrevisses, fèves de soja, oeufs.

Quelques aliments riches en arginine: noisettes, noix du Brésil, arachides, noix, amandes, cacao, beurre d'arachide, graines de sésame, noix d'acajou, poudre de caroube, noix de coco, pistaches, farine de sarrasin, pois chiches, riz brun, pacanes, pain à farine complète, avoine cuite, raisins, graines de tournesol.

Afin de prévenir une crise d'herpès
- Découvrez ce qui la provoque; tenez un journal de données, si nécessaire.
- Mangez des aliments crus et pauvres en sucre et en gras, des aliments riches en lysine et/ou prenez des comprimés de lysine disponibles au magasin d'aliments naturels.
- Essayez de réduire les sources de stress.
- Consultez un naturopathe pour savoir si des suppléments de vitamines et de minéraux seraient indiqués. En même temps, faites-vous établir un régime alimentaire adéquat.
- Consultez un homéopathe qui pourra vous renseigner et prescrire, au besoin, des remèdes homéopathiques; certains s'avèrent efficaces contre l'herpès.

Les Précautions pour ne pas attraper l'herpès
- Ne touchez pas les feux sauvages ou les lésions qui apparaissent autour de la bouche ou des organes génitaux de votre partenaire.
- Ne partagez pas vos éponges, débarbouillettes, serviettes de bain ou aucun autre objet semblable.
- Si vous avez une nouvelle partenaire, demandez-lui si elle a déjà eu l'herpès.
- Utilisez des condoms.

- N'ayez pas de relations sexuelles avec pénétration ou masturbation si vous avez ou apercevez des lésions ouvertes.
- Faites attention à votre alimentation. Faites de l'exercice et réduisez les sources de stress.

Vous et votre partenaire

Si vous avez déjà eu l'herpès, vous pouvez vous sentir déprimé et nerveux, voire même croire que vous n'avez plus droit à une vie sexuelle normale. Il n'en est rien. En effet, bien qu'il faille prévenir votre partenaire (si vous avez déjà eu l'herpès), une discussion franche quant aux risques d'infection et les façons d'y remédier vous aidera à y voir clair. La documentation pertinente quant aux risques de contagion vous éclairera et une fois ceux-ci compris, l'émotivité diminuera. Bien sûr, on ne doit pas sous-estimer les risques de contamination; certaines mesures préventives vous y aideront. Pendant la période de contagion, toute forme de sexualité est déconseillée mais rien ne vous empêche de découvrir d'autres plaisirs.

Le SIDA
(le syndrome immunitaire de déficience acquise)

Il est révolu le temps où l'on pouvait croire que le SIDA n'affectait que la population homosexuelle mâle. Les résultats des derniers sondages nous ont sensibilisés au fait que le SIDA touche également la population hétérosexuelle. Les personnes porteuses du virus sont dites séropositives.

Cela ne veut pas dire qu'ils vont nécessairement développer la maladie sous toutes ses formes ainsi que le prétendent souvent les journaux. Seulement dix pour cent des séropositifs vont développer la forme la plus grave de la maladie; entre dix et quinze pour cent auront des maladies mineures reliées au SIDA et soixante-quinze pour cent ne développeront rien.

Le SIDA demeure toujours incurable. C'est une maladie fatale parce qu'elle attaque le système immunitaire, permettant aux infections de se propager. Ainsi se développent des méningites, des pneumonies et un type de cancer de la peau appelé "sarcome de Kaposi". Le SIDA peut se loger au cerveau et causer une dégénérescence du système nerveux.

Après un contact avec un-e sidéen, le mal peut demeurer à l'état latent et c'est durant cette période que l'on est susceptible de le transmettre. Les symptômes précurseurs sont: transpiration la nuit, fièvre, perte de poids drastique, sensation de léthargie suivie de l'enflement des glandes lymphatiques et taches rouges sur la peau.

Il faut savoir extirper la vérité de toute la publicité qui entoure cette maladie. Premièrement, le SIDA ne se propage que par le sang ou par contacts sexuels intimes. Boire dans le même verre ou partager la même serviette qu'un-e sidéen ne donnera pas la maladie. En second lieu, succombent à la maladie ceux et celles dont le système immunitaire accuse une faiblesse au départ. Nous l'avons vu, le mode de vie dicte l'état de santé. Le risque de contracter le SIDA est donc plus élevé si vous avez plus d'un-e partenaire, si votre partenaire est ou a été bisexuel, si elle fait usage de drogues et/ou si elle est hémophile.

Le traitement du SIDA consiste en drogues antivirales très fortes, en chimiothérapie et en injections d'Interferon, une drogue anticancérigène.

Que faire pour éviter le SIDA?

Il faut pratiquer la *prévention*. Prenez le temps de connaître votre partenaire avant de faire l'amour.

Questionnez-la sur ses antécédents, sur ses MTS passées. Ne négligez pas d'utiliser un condom et évitez les relations anales. Ne partagez ni vos seringues hypodermiques, ni vos rasoirs avec quiconque.

Les Méthodes des médecines alternatives

Ainsi que vous devez le supposer, les approches naturelles visent le renforcement du système immunitaire. Si vous avez déjà eu plusieurs infections virales ou bactériennes pour lesquelles on vous a prescrit beaucoup d'antibiotiques, votre résistance immunitaire est sûrement affaiblie. Ainsi que le suggère Léon Chaitow dans un article publié dans "Here's Health", il existe un lien direct entre le SIDA et les infections intestinales chroniques causées par le candida albicans (lire: "Candida albicans - l'autre maladie du siècle - Daniel J. Crisafi, N.D., Ediforma)

"L'usage fréquent d'antibiotiques favorise la prolifération du candida albicans, endommage la flore lactique intestinale et contribue aux changements du contrôle des substances qui passent de l'intestin au sang. L'imperméabilité de l'intestin n'est plus aussi efficace et permet à des protéines indésirables de pénétrer le système, donnant ainsi naissance à des allergies et favorisant le drainage du système immunitaire."

Il est donc naturel de s'attendre à ce qu'un régime alimentaire constitue la base de la médecine naturelle. Un-e naturopathe préconisera un régime alimentaire sain fait d'abord d'aliments naturels crus puis de suppléments alimentaires qui serviront à éliminer le candida albicans et rendra l'énergie à l'organisme. La vitamine C et l'arginine sont recommandées par le professeur Jeffrey Bland de l'Institut Linus-Pauling, aux États-Unis.

En plus de la diète, on doit réduire le stress par des techniques de relaxation, par l'acupuncture et la phytothérapie.

Les auteurs de "Aids: The Deadly Epidemic" parlent de deux patients qui ont été complètement guéris après avoir suivi un traitement homéopathique complet, soit: diète, exercices, thérapie de pensée positive, visualisation mentale, acupuncture. De plus, dans un article de la revue médicale "Homeopathy Today", un homéopathe accrédité signale une possibilité de traitement du SIDA grâce à des vaccins homéopathiques tels le "Carini" (employé pour guérir la pneumonie) et des préparations appelées "nosodes" faites à partir de tissus cancéreux du patient, de même qu'une drogue appelée "Tuberculin".

Par contre, ni la médecine allopathique ni la médecine holistique n'ont réussi à guérir le SIDA même si elles proposent des méthodes de guérison apaisantes.

J'ai entendu dire, récemment, qu'un sidéen s'était confié à un Hygiéniste et avait commencé un jeûne prolongé sous sa surveillance pour essayer de se défaire de son problème. Jusqu'à présent, je n'ai pas reçu de nouvelles de cette expérience qui pourrait s'avérer très valable et très révélatrice.

Voici, avant de clore ce chapitre, quelques statistiques pour le Québec seulement:
- en 1983, on comptait 23 cas.
- en mai 1987, on comptait 335 cas.
- on projette 1302 cas pour la fin de décembre 1988.

Pour des informations plus pertinentes et pour se tenir au courant des derniers développements, il vaut mieux contacter un hôpital ou le Comité SIDA Montréal, 3600 Hôtel-de-Ville, à Montréal (tél.: 282-9888) ou bien à la Fondation de recherche sur le SIDA C.P. 245, Station Place du Parc, Montréal, H2W 2N8 (tél.: 861-SIDA).

Une autre adresse à noter, pour qui veut se renseigner sur les toutes nouvelles découvertes en rapport avec le SIDA, est la suivante:

HEALTH ACTION NETWORK
11-3856 Sunset St.
Burnaby, B.C. V5G 1T3

La Santé mentale

Souvent les salles d'attente des cabinets de médecins sont pleines de patients qui viennent les consulter, non pas pour une maladie physique, mais pour des troubles émotionnels. Ces derniers ont, sans conteste, des répercussions physiques (voir la section consacrée au stress). En vingt ans, la moitié des hommes iront voir leur médecin pour ce genre de problème. De ce nombre, une partie parlera de dépression. Un homme marié est plus apte à souffrir d'anxiété qu'un célibataire.

L'anxiété et la dépression résultent souvent d'un surplus de stress. Trop souvent, en période de stress, les hommes ont tendance à se défouler dans l'alcool ou la sexualité ou à adopter un comportement distant.

La dépression a toujours pour cause initiale une perte émotive, qu'il s'agisse d'un emploi, d'une conjointe ou même d'une croyance. Ce qui ne signifie pas que quiconque perd quelque chose ou quelqu'un, devient déprimé. Il est normal d'être attristé après un deuil ou un divorce. Mais certains sont plus vulnérables que d'autres; et j'irais même jusqu'à dire qu'en ces circonstances, un homme est plus vulnérable qu'une femme.

Ainsi, la dépression n'est pas une maladie mais le résultat de problèmes ou de relations problématiques.

Il est difficile d'établir une différence entre la dépression et l'anxiété. Ce sont souvent les deux côtés d'une même médaille. Les psychologues affirment que la dépression est surtout reliée au passé, tandis que l'anxiété est liée à l'avenir.

Les Hommes sujets à la dépression

Selon certaines recherches, les hommes appartenant aux catégories suivantes risquent davantage de souffrir de dépression:

- D'abord, ceux qui sont très exigeants envers eux-mêmes et envers les autres et qui ne peuvent contrôler et/ou satisfaire leurs exigences.
- Ceux qui sont sans emploi.
- Ceux qui ont un faible revenu et plusieurs dépendants.
- Ceux qui n'ont pas de relation intime.
- Ceux qui ont vécu un deuil avant d'avoir onze ans (surtout la perte d'une mère).

Qu'est-ce qui déclenche une dépression?

De nombreux facteurs peuvent entraîner la dépression:
- la génétique;
- les événements que l'on vit (voir l'échelle Holmes-Rahe dans la partie traitant du stress);
- les facteurs psychologiques - certains psychologues attribuent la dépression à une "impuissance acquise" lorsque l'existence semble être hors de notre contrôle ou qu'il semble inutile de faire le moindre effort. D'autres attribuent la dépression à une "erreur de jugement" car la façon dont nous percevons le monde influence nos humeurs. Les théories psychanalytiques présentent la dépression comme une forme d'agression dirigée vers soi;
- le déséquilibre biochimique - le tryptophane, un acide aminé essentiel, est insuffisant chez les dépressifs;
- les allergies et la pollution environnementale;
- un taux de glucose peu élevé;
- l'usage de drogues acceptées socialement, dont l'alcool;
- la maladie, dont la grippe ou la mononucléose;
- des accidents ou blessures;
- une intervention chirurgicale importante (colostomie, prostatectomie);
- la fatigue et le surmenage;
- un licenciement;
- un divorce, une séparation ou un deuil et la solitude qui s'ensuit.

Quand faut-il chercher de l'aide?

Si vous ressentez un ou plusieurs des symptômes suivants depuis plus de deux semaines, il serait temps de consulter un médecin ou un-e thérapeute holistique:
- perte d'appétit et de poids;

- fatigue et lassitude;
- insomnie et lassitude;
- insomnie et réveil tôt le matin;
- vous vous sentez agité et avez les nerfs à fleur de peau;
- vous ne trouvez plus d'intérêt à ce qui faisait votre joie;
- sentiment de culpabilité et de blâme face à ce qui ne va pas;
- difficulté à se concentrer et indécision;
- pensées suicidaires.

Le Traitement par la médecine traditionnelle

Un article paru récemment dans la revue médicale "The Practitioner" relate le changement d'attitude des médecins traditionnels quant au rôle des facteurs sociaux dans la dépression. Ainsi, lit-on: "Les patients à la personnalité vulnérable souffrant d'une dépression mineure, et victimes de stress trouvent du réconfort après une analyse détaillée de leurs problèmes, des discussions et des sessions de thérapie psycho-sociale."

Quoi qu'il en soit, les antidépresseurs et les tranquillisants sont prescrits s'il s'agit d'une dépression plus longue. Ces médicaments peuvent corriger les désiquilibres biochimiques du cerveau en période de dépression.

Les antidépresseurs se divisent en deux catégories: les tricycliques utilisés pour des dépressions moyennes et graves; et les inhibiteurs de la monoamino-oxydase qui sont prescrits si les premiers n'ont pas eu d'effet. Ces drogues ne soulagent cependant pas la dépression. Elles altèrent les changements biochimiques du cerveau lors d'une dépression, ce qui diminue la sensibilité et les émotions. Chez une personne sur quatre, ces drogues n'ont aucun résultat.

Par contre, elles présentent des effets secondaires désagréables et n'agissent pas avant une à quatre semaines. Énumérons quelques effets secondaires: étourdissements, dessèchement de la bouche, troubles visuels, nausées, tremblements, transpiration plus abondante, constipation, éruptions cutanées, troubles sexuels et de la vessie. La monoamino-oxydase réagit à certains aliments contenant de la thiamine dont le fromage, les fèves, la viande, les extraits de levure, certains vins rouges et le xérès.

Cela ne signifie pas que ces drogues ne peuvent adoucir le sort de ceux qui traversent une période difficile, mais à camoufler les symptômes de la dépression, on ne l'enraye pas à la source. Ces médicaments sont impuissants à nous aider pendant les nuits blanches, lorsqu'un bébé pleure, pour contrer le manque d'argent ou renouveler une relation qui ne nous satisfait plus. Ils peuvent même inhiber les réactions! A tout masquer derrière la maladie, on n'apporte aucun changement à sa situation et on est loin d'accepter les choses sur lesquelles on n'exerce aucun contrôle.

Si votre médecin vous prescrit une drogue, assurez-vous de savoir exactement de quoi il s'agit, pourquoi il vous la prescrit, quels sont ses effets secondaires et pendant combien de temps vous devrez en prendre. Le sevrage d'un antidépresseur peut demander un certain effort, surtout chez celui qui n'était pas prévenu.

Les Tranquillisants

Très souvent, on prescrit des tranquillisants à qui souffre d'anxiété ou d'insomnie. Mais on les prescrit, aussi, à qui souffre de solitude, à qui manque d'argent et à qui connait l'indigence. Comme un expert a dit: "Lorsqu'un médecin vous prescrit des tranquillisants, il *vous* fait sortir de *sa misère*."

A court terme, les tranquilisants peuvent avoir des effets positifs. Des recherches ont cependant démontré qu'un usage prolongé en réduit l'efficacité. Si vous avez fait usage de tranquillisants pendant une période de temps et que soudainement on vous les enlève, vous pouvez présenter des symptômes de sevrage désagréables et effarants. Il en est de même pour les antidépresseurs: ils ne règlent pas le problème à sa source.

Voici quelques questions proposées par l'Association nationale de la santé mentale, et que vous devriez poser à votre médecin s'il vous prescrit des tranquillisants:
1. Quelle sorte de comprimés est-ce?
2. En quoi peuvent-ils m'aider?
3. Comment devrais-je les prendre?
4. Comment savoir s'ils sont efficaces?
5. Est-ce important que je les prenne?
6. Que peut-il m'arriver si je ne les prends pas?
7. Entraînent-ils quelquefois de mauvaises réactions?
8. Ont-ils des effets secondaires?
9. Est-ce que je peux conduire l'auto après en avoir pris?
10. Puis-je prendre d'autres médicaments en même temps?
11. Puis-je boire de l'alcool?
12. Combien de temps devrai-je en faire usage?

13. Que faire avec les comprimés que je n'aurai pas utilisés?
14. Est-ce que je devrai revenir pour une autre consultation?
15. Que voudrez-vous savoir lorsque nous nous reverrons?

Le Sevrage

Il se fait graduellement. Il est préférable de réduire la dose peu à peu plutôt que d'en cesser subitement l'usage.

- Consultez un naturopathe qui vous conseillera une cure de désintoxication par la phytothérapie.
- Une période de jeûne surveillé serait toute indiquée.
- Surveillez votre alimentation: les fruits et les légumes crus devront être à l'honneur.
- Accordez-vous du temps libre.
- Soyez réaliste; ne croyez pas que ce sera facile et ne vous punissez pas si vous succombez de temps en temps.
- Les techniques de massage, de relaxation, de visualisation et les bains sauna et les bains flottants, peuvent vous aider.
- Parlez aux gens qui vous entourent; faites-leur savoir ce que vous ressentez et les problèmes que vous avez.
- Si vous sentez le besoin de prendre un cachet (de drogue), téléphonez à un-e ami-e, faites une promenade, de l'exercice, du yoga, de la méditation.

Les Médecines douce et la santé mentale

A ce chapitre, que nous offre la médecine alternative?

L'acupunture offre une aide certaine. Dans leur ouvrage "Dealing With Depression", Kathy Nairne et Gerrylyn Smith affirment: "Les aiguilles peuvent apaiser ou alors stimuler l'excitation chez les patients souffrant d'épuisement physique ou mental. Certains traitements peuvent restaurer l'équilibre chez les individus perturbés. Par contre, une restructuration du mode de vie est souvent nécessaire si le traitement doit porter fruit."

Cette dernière phrase explique pourquoi les thérapies naturelles apportent une aide bénéfique. Les conseils prodigués dans la première partie de ce livre constituent une première étape importante.

Ici encore, l'alimentation joue un rôle de premier plan. Le professeur Bryce-Smith affirme qu'une carence en zinc peut causer la dépression.

La naturopathie vous sera, ici, très utile en faisant la correction de votre alimentation et en vous prescrivant les suppléments vitaminiques et minéraux dont vous avez besoin.

L'homéopathie offre un grand nombre de remèdes individualisés.

La phytothérapie favorise les infusions au citron, à l'avoine, à la verveine et au tilleul pour les cas bénins; pour les cas graves, consultez un-e thérapeute qualifié-e.

Le yoga, la méditation, le tai chi, la relaxation et la psychothérapie vous soulageront. Nous reparlerons de tout ceci plus loin, dans cet ouvrage.

TROISIÈME PARTIE
Témoignages

À LA RECHERCHE DE LA SANTÉ INTÉGRALE

"Les voyageurs entreprenant de grandes ascensions dans l'Hymalaya ou dans la région du Karakoram avaient, depuis longtemps, manifesté leur nette préférence pour les porteurs Hunza. Le colonel Schomberg, le chef militaire bien connu, observait un jour au télescope une colonne de porteurs gravissant le versant opposé de la montagne. Ses hommes lui expliquèrent que c'étaient des Hunza. "A quoi reconnaissez-vous donc qu'il s'agit de Hunza?" demanda le colonel, très surpris. "Mais, à leur façon de marcher, qui est toute spéciale". Et, de fait, leur démarche semblait avoir quelque chose d'ailé. Lorsque, en cours d'ascension, il faut gravir des roches glissantes, avec de pesants fardeaux, leurs porteurs surpassent tous ceux de l'Asie centrale." (Ralph Bircher, 1961). (1)

Ce n'est pas un effet du hasard que les grandes religions - chrétienne, musulmane, orientales - prônent le jeûne comme moyen de purifier et de maîtriser le corps, ce temple de l'esprit. De grands maîtres de l'antiquité, tels Platon et Aristote, le préconisaient pour "atteindre l'efficacité physique et mentale"; Hippocrate, le père de la médecine, le prescrivait. Ce n'est pas par hasard que les animaux se reposent et cessent instinctivement de manger lorsqu'ils sont malades. Ce n'est pas non plus par hasard que les Hunza sont un des peuples les plus sains de la planète: ils font un demi-jeûne annuel qui dure presque tout le printemps. Coupé du reste du monde depuis plus de deux mille ans, le royaume des Hunza est situé à 2 438 mètres au-dessus du niveau de la mer, dans les montagnes du Karakoram, au nord du Cachemire, coincé entre le nord-est du Pakistan, l'ouest de la Chine et le nord-est de l'Afghanistan.

La moyenne de vie, chez les habitants de la vallée de la rivière Hunza, se situe entre 85 et 90 ans et plusieurs individus atteignent l'âge de 110, 120 ou 130 ans et quelques-uns même 140 ans. Fait inusité, c'est un des rares peuples où la longévité moyenne des hommes est de quelques années supérieure à celle des femmes. Les femmes peuvent porter un enfant jusqu'à l'âge de 50 ans et, dans quelques cas, jusqu'à l'âge de 60 ans. L'enfantement n'est pas douloureux et se fait avec l'assistance de sages-femmes. La fertilité des hommes se manifeste bien au-delà de 80 et 90 ans, au-delà de 100 ans, dans quelques cas. Et, pour ceux qui douteraient de l'authenticité des faits et des chiffres ci-haut mentionnés, ajoutons qu'ils émanent de la médecine officielle occidentale. Sir Robert McCarrison, éminent médecin, chirurgien et chercheur écossais, séjourna chez les Hunza entre 1904 et 1911 alors qu'il était rattaché à l'armée britannique des Indes et fut le premier scientifique à y effectuer des examens médicaux. Le docteur McCarrison fut décoré par son pays pour ses travaux de recherche en nutrition. Plus récemment, le Dr Jay Milton Hoffman, Ph. D., visita les Hunza à la demande de la "National Geriatrics Society" des États-Unis et précisa par ces chiffres les constatations de son prédécesseur.

Au sujet du docteur McCarrison, Ralph Bircher écrit: "Il se livra à un examen aussi complet que possible, y apportant le sens critique d'un esprit exact et il put établir qu'il avait bien affaire, en effet, à un peuple en parfaite santé, le type idéal du "sujet contrôlé", au total, le peuple le plus sain de la terre. Celui-ci était exempt de toute maladie chronique et opposait aux infections une puissante force de réaction et de défense. À part quelques rares accès de fièvre, courts et violents, et, occasion-nellement, quelques inflammations oculaires, au terme d'une longue saison froide passée dans les quartiers d'hiver, il n'y eut aucune maladie à enregistrer; ici, les précis de pathologie perdaient leur raison d'être! Les prétendues "maladies de vieillesse" n'existaient pas davantage: ainsi il apparaissait qu'elles étaient donc évitables. L'âge n'amenait aucun affaiblissement des organes; le coeur ne perdait rien de sa juvénile élasticité; aucune diminution de la vue ou de l'ouëe ne se produisait et les dents mordaient toujours, vigoureuses et brillantes, dans le dur pain quotidien. La vie ne s'éteignait qu'à un âge extrêmement avancé, semblable à une flamme paisible, qui tire doucement à sa fin.". (2)

Outre ce demi-jeûne annuel, cette prodigieuse vitalité découle aussi de plusieurs autres facteurs comme une alimentation presque entièrement végétarienne (le facteur le plus important selon le Dr McCarrison), une consommation d'aliments naturels avec prédominance de fruits et d'autres aliments crus, et la quasi absence de sel. On pourrait croire que d'autres facteurs, comme la qualité de l'air des montagnes, sont nettement plus importants, mais il n'en est rien puisque d'autres peuplades voisines, donc vivant sous un climat identique, étaient victimes de plusieurs maladies et n'atteignaient pas un âge aussi avancé. "Ce demi-jeûne désintoxique parfaitement les organismes et s'avère des plus profitables. Tous les habitants avaient alors les traits amaigris et anguleux: ils ne mangeaient jamais à leur faim. Ils s'occupaient, au surplus, de l'aube à la nuit, à piocher, labourer, fumer la terre, sarcler et maçonner. C'est cette manière de vivre, et particulièrement ce demi-jeûne annuel qui leur ont donné cette merveilleuse santé de pur-sang, constatée par les examens médicaux et une exemption de presque toutes les maladies humaines qui remplissent nos traités de pathologie.". (3)

Ainsi donc, le jeûne intégral (à l'eau seulement), le demi-jeûne et, plus récemment, le jeûne aux jus, ont ceci de commun qu'ils contribuent puissamment à soulager le travail des organes digestifs et à transposer l'énergie vitale au niveau des organes d'élimination, tels les reins, le foie, la peau, les poumons, les intestins. L'organisme a tout le loisir de mettre en branle son pouvoir auto-guérisseur et il en profite pour se débarrasser d'abord des cellules et des tissus malades, endommagés, âgés ou morts.

On distingue deux grands types de jeûne:

1. *Le jeûne prophylactique* d'une durée de 7 à 10 jours dont la fonction est de nettoyer, de régénérer et de rajeunir l'organisme humain.

2. *Le jeûne thérapeutique* qui dure de 7 à 40 jours (et parfois, au-delà) et qui a pour but de guérir.

Le demi-jeûne peut évidemment être d'ordre prophylactique ou thérapeutique et j'ai pu expérimenter les bienfaits de ce dernier sur une période de deux mois au cours de l'été 1976, à la suite de luttes, parfois terribles, que j'avais menées sur les fronts écologique et professionnel durant six ans, et qui me laissèrent complètement épuisé: fatigue après le moindre exercice due à l'acidification et à un dérèglement du système endocrinien, douleurs musculaires, carences marquées en vitamines et en sels minéraux notamment au niveau du magnésium et du calcium, difficultés respiratoires. Au cours de ces deux mois, j'en profitai pour lire plusieurs livres et documents sur la médecine biologique et en particulier, sur la recommandation de mon naturopathe, le Dr Yvan Labelle, un volume écrit par un médecin, le Dr Robert Jackson: "Ne plus jamais être malade" (édition Albert MÜller, RÜschilikon - Zurich). Outre sa formation scientifique, l'expérience personnelle du Dr Jackson, la justesse de son argumentation m'incitèrent fortement à modifier sérieusement mon approche des questions de la santé.

En ce qui concerne le jeûne aux jus, il s'agit d'une merveilleuse découverte qui fût développée en Allemagne, il y a quelques décennies, par des pionniers de la médecine biologique, tels le Dr Otto H.F. Buchinger, m.d., le professeur Werner Zabel, m.d., le Dr Eugène Heun, m.d. Ph.D. Les cliniques de ce genre prolifèrent maintenant par centaines, en Allemagne, et on en trouve de plus en plus en Suède, en Suisse, dans plusieurs autres pays d'Europe et aussi, bien que plus tardivement, en Amérique du Nord. Le Dr Buchinger jr. et son père avaient déjà, en 1977, dirigé au moins 80 000 jeûnes du genre. Le jeûne aux jus n'est pas "sensu stricto" un véritable jeûne puisqu'il y a absorption d'aliments sous leur forme liquide. D'ailleurs, les termes allemands "Rohsafte Kur" se traduisent en français en "Roh" = jus (au pluriel); "Kur" = cure, d'où cure de jus crus. Mais le travail des organes digestifs est si faible qu'on utilise, dans les pays anglo-saxons, l'expression: "juice fasting", en français: jeûne aux jus.

Le Dr Paavo Airola, sinon le pionnier de ce type de jeûne en Amérique du Nord du moins celui qui l'a vraiment rendu accessible, mentionne sept raisons pour en justifier scientifiquement l'efficacité. De ce nombre, j'en retiens six, la septième me paraissant, bien que fort plausible, quelque peu hypothétique:

1. Les jus crus, tout comme les bouillons de légumes frais, sont riches en vitamines, en sels minéraux et enzymes;
2. Ces éléments vitaux sont très facilement assimilés dans le flux sanguin sans mobiliser tout le système digestif et, par conséquent, n'interrompent pas le processus de guérison, de rajeunissement, d'autolyse ou d'auto-guérison, comme le laissent entendre plusieurs tenants du jeûne à l'eau;
3. Les jus de fruits et de légumes ne stimulent pas la sécrétion d'acide chlorydrique, générateur d'ulcères, contrairement à ce que certains ont déjà écrit: cet acide est surtout sécrété lorsqu'il y a ingestion d'aliments riches en protéines;
4. Les éléments nutritifs des jus sont extrêmement bénéfiques en normalisant les fonctions corporelles, en apportant des éléments nécessaires au corps pour la régénération des cellules, ce qui accélère la guérison;
5. Les jus de fruits et les bouillons de légumes fournissent un surplus alcalin, ce qui est très important pour l'équilibre acide-base du sang et des tissus puisque, durant le jeûne, ceux-ci contiennent de grandes quantités d'acides;
6. La présence abondante de sels minéraux favorise l'équilibre biochimique et minéral des cellules et des tissus. Un déséquilibre minéral dans les tissus est une des causes principales de la diminution de l'oxygénation qui conduit à la maladie et au vieillissement prématuré des cellules."

Le Dr Ragnar Berg, prix Nobel, une des grandes autorités mondiales de la biochimie et de la nutrition, a dirigé maints jeûnes aux jus en Europe et affirme la supériorité du jeûne aux jus sur le jeûne à l'eau parce que le premier accélère l'élimination de l'acide urique et autres acides.

Selon le Dr Airola, le jeûne aux jus est toutefois déconseillé dans les cas avancés de diabète, de tuberculose, de tumeurs malignes actives, de maladies mentales et de faiblesses cardiaques chez les sujets plus âgés, les cas d'émaciation extrême. Lorsqu'il y a maladie, il est essentiel de consulter un médecin ouvert à ces thérapies (il y en a de plus en plus) ou un naturopathe.

Pour la plupart d'entre nous qui sommes assignés à un travail régulier, il peut être difficile de consacrer une dizaine de jours à un jeûne prophylactique sans empiéter substantiellement sur nos vacances annuelles. Je pratique le jeûne aux jus depuis près de dix ans après l'avoir expérimenté pour la première fois sous la surveillance du Dr Gilles A. Bordeleau, n.d. (naturopathe) qui était alors établi à Saint-Sauveur-des-Monts. Je procède de la façon suivante: 3 ou 4 jours de jus de légumes et de fruits frais (je ne mélange pas les deux), puis une période de réalimentation très légère et progressive, échelonnée sur 4 jours. Le bien-être que j'en retire est tel que je n'hésite pas à sacrifier, chaque année, une semaine de mes vacances estivales à cette fin. Et, chaque fois, je ne me lasse pas d'observer les mécanismes d'élimination de l'organisme qui me font perdre environ une douzaine de livres. Pour bien apprendre la technique, il est suggéré, du moins pour la première fois, de se faire suivre par un naturopathe ou par un hygiéniste qualifié, dans une maison spécialisée, à la campagne si possible. Le repos devra être à la fois physique et mental et tout s'y prête: la beauté sauvage des lieux, l'air vivifiant des montagnes, des hôtes chaleureux qui veilleront à ce que chacun bénéficie au maximum de son séjour. Comme livre de chevet, je suggère ce petit chef-d'oeuvre de clarté, de concision et de rigueur scientifique qu'est le livre du Dr Airola, 1977, "How to keep slim, healthy and young with juice fasting", paru aux éditions Health Plus, Phoenix, Arizona, U.S.A., 80 p. (ce livre peut être trouvé dans les magasins d'aliments naturels et/ou en librairie, au Québec.)

Épilogue
Se prendre en main, se gouverner soi-même en n'hésitant pas à balayer du revers de la main certaines idées bien établies et à modifier des comportements acquis, interpréter les moindres signes de son organisme, connaître et contrôler l'énergie vitale qui nous anime, bénéficier de l'expérience des grands maîtres du passé et du présent, se battre au corps à corps contre un destin en train de nous terrasser, acquérir la certitude qu'on peut repousser les frontières traditionnelles de la vie et de la mort en cessant substantiellement de manger durant une période variable et à intervalles réguliers, faire fi des préjugés et des sarcasmes parce qu'ils sont le plus souvent engendrés par la bêtise ou par l'ignorance, se brancher sur les forces positives

de l'univers et en découvrir les lois grandioses; voilà quelques-unes des facettes d'une question aussi fondamentale que la recherche de la santé intégrale et qui rend si palpitante la trop brève existence humaine!

En sciences, pour obtenir une certitude, rien n'a encore égalé la méthode expérimentale. Ainsi, dans notre vie quotidienne, rien n'est aussi valable que l'expérience vécue. Essayez et vous verrez!."

Jacques F. Bergeron, biologiste

(1)   Extrait d'un volume écrit par Ralph Bircher en 1961. "Les Hunza, un peuple qui ignore la maladie" Édité par V. Attinger, 7 Place Plaget, Neuchatel, Suisse. Traduit de l'allemand par Gabrielle Godet. 189 p., page 13.
(2)   Ibidem. Aussi, condensé dans un livre d'Albert Mosséri, 1974 "La santé par la nourriture" Le Courrier du livre, Paris, 415 pp.
(3)   Voir au no. 2.

Pour apporter un complément au vibrant témoignage de mon ami Jacques Bergeron et pour confirmer, dans l'esprit de ceux qui doutent encore, l'importance d'une alimentation saine sur notre santé, je voudrais citer le témoignage de Mme Barbara Pageler qui, en 1984, sur l'invitation spéciale du Mir (le chef des Hunza) alla visiter ce fabuleux pays.

Elle en revint très désappointée et désillusionnée. Comme elle le raconte dans un article paru en mars 1985 dans la revue "Better Nutrition", aux États-Unis, les montagnes majestueuses de l'Hymalaya, au Pakistan, sont toujours là, l'eau pure des sources de montagne coule toujours mais la santé légendaire de ses habitants se détériore de plus en plus: pourquoi? Depuis quelques années seulement, un nouveau chemin carossable (il n'y avait, auparavant, qu'un sentier de mules excessivement dangereux, et il était, de plus, très difficile d'obtenir un permis pour visiter cette vallée) y apporte du sucre blanc en abondance ainsi que quantité d'autres aliments dénaturés (junk food). La même chose s'est produite dans tous les pays du tiers-monde où notre supposée civilisation y a été introduite. On n'a pas à aller aussi loin pour avoir une autre preuve de la nocivité des aliments raffinés et dénaturés par l'adjonction de produits chimiques. On n'a qu'à vérifier ce qui est arrivé à nos peuplades aborigènes et aux Esquimaux du Grand Nord Canadien: quand ils ont commencé à manger la même nourriture que nous (farine blanche, riz blanc, sucre blanc, etc.), leurs dents ont commencé à tomber et leurs poumons à se détériorer.

Chez les Hunza, anciennement, il n'y avait même pas de médecin; aujourd'hui, depuis qu'ils mangent de mauvais aliments, il y a une clinique médicale et de 30 à 40 personnes par jour vont la visiter. Mme Pageler n'a pu voir, non plus, de centenaires: ils semblent s'être tous éteints et personne d'autres, maintenant, semble avoir la santé pour vivre aussi longtemps. Un jour, à une réception, on lui offrit une demi-tasse de thé et elle a vu les invités (des Hunza) mettre au moins deux cuillerées à thé de sucre blanc dans leurs tasses et en boire jusqu'à dix tasses par jour.

Pas surprenant que les Hounza soient maintenant aussi malades que n'importe quel autre peuple.

* Le texte ci-haut a été tiré du journal québécois Le Vauvert, du Lac Marcel, des Pays d'en Haut, R.R. 1, Lac Carré - Vol. 1 No 1.

Voici, maintenant, un court témoignage d'une personne qui a fait un assez long séjour dans une maison de jeûne que j'ai dirigé de novembre 1977 à février 1983:

"On dit que les paroles s'envolent et que les écrits restent. Ceci peut être un danger, parfois, mais quand même, j'aimerais laisser sur papier, quelques impressions de mon séjour ici.

Encore une fois, j'ai vécu une très belle expérience. On ne peut sortir d'un jeûne de plusieurs jours (21), sans avoir l'impression d'une resurrection. Pour moi, la fin d'un jeûne est une renaissance à la santé, à la vigueur et à la pleine forme de mon corps et de mon esprit!

Comme l'a dit une "très chère amie" rencontré ici, je sens mon corps propre, propre."

Signé: J.V.

Cette fois, c'est le témoignage d'une jeune fille qui a beaucoup souffert mais qui s'en est très bien tirée grâce aux méthodes de soins naturels.

"Saint-Pascal-de-Kamouraska, le 4 juillet 1979.

Bonjour Gilles et Lucile,

Aujourd'hui, c'est le 4 juillet, et je vous écris le coeur plein, plein de joie. Au moment même où je vous écris, je devrais être sur la table d'opération au Centre Hospitalier Universitaire Laval de Québec. Mon entrée à l'hôpital était prévue pour le 3 et mon opération pour le 4. Et je suis à St-Pascal, en bonne santé et très heureuse.

J'ai tardé à vous écrire, car je voulais avoir les derniers résultats du CHUL.

Le 8 juin dernier, j'ai passé une série d'examens obligatoires avant mon hospitalisation du 4/7. J'ai demandé pour ne pas avoir de radiographies mais on m'a simplement répondu que c'était absolument obligatoire pour mon opération et que si je ne voulais pas d'examens, je n'avais qu'à retourner chez moi!...

C'était pendant la période de grève dans les hôpitaux et le personnel était à prendre avec des "gants blancs"!

J'ai donc demandé *le moins* de radiographies possible. J'en ai passé six (6) avec prises de sang, urine...

A la fin juin, j'ai reçu un appel téléphonique de la part de mon médecin me demandant de retourner à l'hôpital et de repasser tous les examens du 8 juin. Il m'a dit qu'il avait dû y avoir une erreur quelque part ou un mélange dans les dossiers. Pendant une période de grève, ce sont des choses qui peuvent arriver. Il n'était pas logique, pour lui, avec les présents résultats, de m'opérer. Il préférait refaire les test, avant.

Sur mes radiographies (en comparant celles de décembre 1978 et de juin 1979), il n'y avait plus de masse sombre (tumeur), au côté droit (ovaire), ni au rein droit (tumeur). Mes examens pour les reins ont révélé que je n'avais plus d'infection. Ma formule sanguine est très bonne (pas encore excellente, mais ça viendra), et mon taux de sucre dans le sang est normal (il ne l'était pas en décembre dernier). Donc, adieu anémie et début de diabète. Je n'avais plus d'infection vaginale (c'est le première fois depuis sept ans). Ma pression sanguine est encore un peu basse mais je continue à manger une betterave par jour. Mon poids a légèrement augmenté (105 lb). Je fais régulièrement du conditionnement physique et je me remuscle lentement.

Mes parents et ami(e)s sont enchantés de ma transformation et selon eux, je ne me fais pas seulement des muscles, mais aussi de "beaux!" muscles...Ils aiment bien me taquiner avec ça.

J'ai avoué à mon médecin que j'avais vécu un jeûne intégral de 21 jours et je lui ai parlé de tout ce que mon organisme avait rejeté comme infections de toutes sortes. Il m'a dit: "Tu sais, ces soigneux-là (c'est le terme qu'il a employé), on ne peut pas être d'accord avec eux". Je lui ai demandé pourquoi? Il m'a dit: "Ils vont à l'encontre de ce qu'on fait!"

Je lui ai dit: "C'est bizarre. Ça fait 7 ans que je me fais soigner par des médecins et c'est le jeûne, conseillé par un docteur en médecine naturelle qui m'a enlevé tous mes malaises. Et selon vous, les naturopathes vont à l'encontre de ce que vous faites. Lequel de vous deux a comme but de guérir les malades?" Sur ce, il m'a semblé mal à l'aise. Je lui ai souligné qu'il n'y avait pas d'erreurs dans les résultats et je lui ai rappelé qu'il m'avait dit le 8 juin, en me voyant, que j'avais l'air "plus en forme" qu'en décembre dernier.

Je lui ai conseillé de se renseigner sur le jeûne et l'importance d'une bonne alimentation (Revue "Vivre", juin 1979). Mais je lui ai conseillé d'y aller doucement car cela risquait de remettre bien des choses en questions dans sa profession, s'il était franc avec lui-même. Le tout s'est bien terminé. Mais je lui ai avoué que j'espérais ne plus avoir affaire au CHUL, malgré tout le dévouement dont ils ont fait preuve (à mon égard). Il veut me revoir en août pour en jaser...

Depuis mon départ de chez vous, je me nourris en suivant le menu que nous avons élaboré ensemble et le tout se passe bien. Je n'ai plus de malaises physiques. Le seul malaise que j'éprouve, si je puis appeler cela un malaise, c'est le besoin de dormir. Je dors beaucoup mais j'ai l'impression d'avoir des années de sommeil à reprendre. Le plus formidable, c'est qu'à chacun de mes réveils, j'ai l'agréable sensation d'avoir récupéré. A vrai dire, je suis en train de m'adapter au fait d'être en bonne santé.

Le mois qui a suivi mon jeûne (mai), je n'ai pas été menstruée. Selon mes graphiques de température (méthode sympto-thermique), je n'aurais pas eu d'ovulation pendant ces 28 jours. En juin, le tout s'est déroulé normalement et j'ai été menstruée au 28e jour. Et je n'ai pas eu besoin d'eau chaude pour aider à l'écoulement. Je n'ai presque pas eu de douleurs. Mes amies n'en reviennent pas; car elles connaissent la façon dont ça se passait à chacune de mes règles (serviettes d'eau froide, sac d'eau chaude, etc.).

Depuis plusieurs années, je vivais comme si j'avais eu les deux mains attachées à cause de ma santé. Maintenant, j'ai l'impression d'avoir perdu mes menottes, et je savoure tout le beau de la vie."

Signé: F. P.

Autre Témoignage

Je souffrais d'arthrose depuis de nombreuses années. J'avais des brûlements d'estomac; tous les deux mois, je faisais une grosse grippe; en plus je faisais des diverticules; je passais mes journées alitée. Je ne pouvais dormir sans produits chimiques (somnifères), depuis des années. J'allais voir le médecin régulièrement mais sans obtenir de bons résultats: au contraire, mon mal s'aggravait. Je décidai d'essayer les méthodes naturelles.

Je suis allée faire un jeûne dans une clinique spécialisée: j'y ai passé un mois. Ma santé s'est améliorée à 90 %. De retour à la maison, je n'ai plus jamais souffert de diverticulite; mes maux d'estomac ont disparu ainsi que les grippes chroniques et je dors très bien sans somnifère. Maintenant, je ne prends plus aucun médicament chimique. C'est presque incroyable car, quand j'y pense, je prenais jusqu'à 26 pilules par jour.

J'ai plus de 60 ans, je voyage beaucoup depuis que j'ai fait ma cure et je trouve la vie belle. Évidemment, j'essaie de suivre, le mieux possible, les conseils que l'on m'a donnés au sujet de l'alimentation, des combinaisons alimentaires, des suppléments alimentaires, etc. A l'occasion, pour me retremper, je consulte mon naturopathe et tout va bien."

Signé: T.D.

Jeune homme qui souffrait de l'eczéma

"Je suis un jeune homme de 21 ans. Dès l'âge de 6 mois, j'ai commencé à faire de l'eczéma. Au début, je n'avais que de petites plaques, ici et là, sur le corps. Le médecin suggéra un onguent que ma mère m'appliqua consciencieusement sur les parties affectées mais, au fur et à mesure que je grandissais, mon mal, au lieu de disparaître, s'aggravait et s'étendait de plus en plus jusqu'à ce que j'en aie partout sur le corps. À vingt-et-un ans, mon corps n'était qu'une plaie vive et je saignais à plusieurs endroits. Ma peau était fendillée et un liquide suppurant s'en échappait continuellement. Même en été, j'étais obligé de porter de longs sous-vêtements en coton pour éviter le frottement de mes pantalons de travail sur ma peau délicate et irritée. Je devais porter des gants, continuellement. Je n'avais jamais endossé un maillot de bain. J'étais vraiment découragé jusqu'au jour où j'entendis parler des méthodes naturelles de guérison.

Je me suis donc adressé à un naturopathe (l'auteur de ce livre) qui m'encouragea à faire une cure de désintoxication. Trouvant ses explications logiques, je fis une cure de 28 jours et, croyez-le ou non, à la fin de cette cure, ma peau s'était complètement régénérée. Il n'y avait plus de fissures, de liquide suppurant, de sang, etc., en un mot, mon eczéma avait complètement disparu: j'étais guéri!

Durant ma cure, le naturopathe m'expliqua le rôle important que joue l'alimentation dans notre vie et son influence sur notre état de santé. Je comprends, maintenant, que tant que je suivrai les méthodes naturelles de vie, surtout une alimentation saine comprenant une bonne quantité de fruits et de légumes crus et frais, je continuerai à jouir d'une bonne santé, exempte d'eczéma."

D.B.

(L'original des lettres qui précèdent se trouve dans nos archives pour fin de vérification, si nécessaire.)

QUATRIÈME PARTIE
Les Thérapeutiques

Les thérapeutiques naturelles considèrent la totalité de l'être; leur approche est donc holistique. Ici, toute méthode de classification semble inappropriée. On peut, toutefois, dire qu'elles prennent appui sur le cerveau, le corps ou l'esprit, bien que certaines techniques - par exemple le yoga - soient globales. Il devient alors malaisé de préciser sur quelles dimensions elles sont fondées. Vous avez, à présent, un aperçu des vertus de chaque approche thérapeutique. J'en passerai quelques-unes en revue, dans ce chapitre, en faisant parler un thérapeute de chacune des thérapies présentées. Vous en trouverez la liste à la fin du volume. Vous découvrirez, peu à peu, la ou les thérapies qui vous conviennent. Si l'une d'elles vous semblait pertinente, ne la laissez pas de côté simplement parce qu'elle n'est pas recommandée pour un malaise particulier.

Médecine allopathique ou naturelle?

Si je n'étais déjà convaincu que la médecine naturelle est de beaucoup supérieure à la médecine allopathique, un article que j'ai lu dans le journal La Presse, du dimanche 22 mai 1988, m'en aurait convaincu. Cet article se trouvait à la page B4, chronique de médecine du Dr W. Gifford-Jones, m.d. et s'intitulait: "DEVRAIT-ON PROCÉDER A L'ABLATION DE

SEINS EN BONNE SANTÉ POUR PRÉVENIR LE CANCER?" Oui, vous avez bien lu. Dans cet article, on suggère qu'une femme en bonne santé, si, après l'âge de 30 ans, n'a pas eu le cancer du sein, devrait se faire faire une mastectomie complète pour prévenir le cancer. Je me permets de citer cet article qui s'adresse surtout aux femmes, évidemment, mais il concerne aussi les hommes car vous imaginez-vous les répercussions sur notre vie sexuelle? Mais, trève de plaisanteries. Je n'ai pu m'empêcher de faire une parallèle avec les cancers qui guettent les hommes.

Donc, si on suivait cette théorie de l'ablation d'un organe sain pour en prévenir l'infection ou le cancer, on aboutirait à la situation suivante: puisque, comme je l'ai démontré plus haut, que le cancer des poumons est le tueur numéro deux, au Québec, on devrait enlever les poumons de tous les fumeurs (au moins) et les remplacer par une pompe mécanique en plastique ou autre matériau non corrosif; pourquoi pas? On le fait bien pour le coeur! Puis, pour prévenir le cancer de la prostate, on devrait procéder à son ablation dès que l'homme atteint l'âge de cinquante ans et, de plus, à l'ablation des testicules, au cas où.

Si le ridicule ne tue pas, il blesse énormément. Donc, trois fois bravo pour la médecine naturelle qui cherche à régénérer l'organisme plutôt qu'à le mutiler.

Les médecines douces conviennent à tous car elles permettent d'éviter plusieurs des embûches dont il est question dans la première partie de ce livre. La vie moderne nous a habitués à tout fragmenter, à classifier sous différentes rubriques; la médecine holistique s'intéresse, au contraire, à l'être humain dans toute son entité. Un-e praticien-ne holistique s'intéressera à vous, au lieu où vous habitez, à votre alimentation, à la qualité de vos rapports émotionnels, à votre travail et à la satisfaction que vous tirez de la vie. Bien entendu, les bons guérisseurs, de toutes les écoles, ont toujours considéré ces divers facteurs.

La thérapeutique naturelle, nous l'avons vu, active le système immunitaire plutôt qu'elle ne supprime les symptômes.

"On rétablit la santé en s'harmonisant à la nature plutôt qu'en la contrariant". - Le docteur Alex Forbes, ancien directeur de Centre de recherches sur le cancer, à Bristol.

Il ne convient cependant pas d'affirmer que les traitements conventionnels sont désuets et que la naturopathie (ou autre médecine douce) est la seule voie à suivre. De prime abord, il n'est pas toujours facile d'avoir accès à ce genre de traitement sans compter que ces services sont souvent onéreux. Sachant que ces thérapeutiques apportent des résultats, lentement mais sûrement, il risque d'en coûter quelques sous avant que la guérison ne se fasse sentir complètement. Mais, plus une personne est consentante à se prendre en main, plus vite s'accomplira le processus de guérison et moins longtemps elle aura besoin de consulter. Et puis, entre nous, vaut-il mieux payer pour s'en sortir que de ne pas payer et rester pris?

De plus en plus de médecins allopathes offrent des formes de thérapie dites naturelles. Nous désapprouvons une telle conduite car les allopathes n'ont pas subi un entraînement rigoureux en ces matières. Cela équivaut à laisser un médecin holiste opérer une appendicite. Quelques cabinets de médecins allopathes se sont associés un-e thérapeute holiste afin de compléter leurs traitements. Mais il s'agit de rares exceptions.

Si vous êtes gêné, sur le plan financier, informez-vous auprès de plusieurs praticien(ne)s afin de pouvoir choisir celui (celle) dont les frais sont les moins élevés. Vous pouvez aussi vous renseigner auprès de l'association professionnelle à laquelle appartient le(a) thérapeute que vous avez choisi(e).

Il faut avoir l'esprit critique envers l'une et l'autre des approches et choisir avec soin son ou sa thérapeute. Assurez-vous de comprendre le traitement prescrit, de même que sa raison d'être. Car, enfin, on veut connaître les raisons pour lesquelles un antibiotique nous est prescrit; pourquoi en serait-il autrement d'une tisane? Ici, la notion d'auto-guérison entre en jeu. On peut guérir soi-même plusieurs malaises grâce aux thérapies douces. En lisant ce livre, vous avez déjà acquis certaines connaissances mais, à lire tous les livres sur le sujet, on pourrait penser que tous les maux sont guérissables sans aide extérieure. Les thérapeutes font, en général, de longues études avant de pratiquer leurs sciences. Il serait présomptueux de penser que l'on puisse soigner une maladie comme le cancer ou un infarctus sans l'aide d'un(e) thérapeute qualifié(e), fût-il/elle allopathe ou holistique.

Une étude publiée en 1986 critiquait sévèrement les médecines douces en prétextant qu'elles n'avaient pas fait leurs preuves. Nombre de praticiens alternatifs ont répondu que les tests pertinents à la médecine allopathe (qui traite les symptômes et non l'être dans son entier) sont inadéquats lorsqu'il s'agit d'évaluer des thérapies touchant l'humain dans sa globalité. Lors d'une conférence prononcée par le Conseil de recherches pour la médecine complémentaire qui regroupe des partisans des deux approches, on a signalé la carence de modes d'évaluation des thérapies naturelles lesquelles, contrairement à la médecine conventionnelle, n'excluent pas l'effet du placébo, partie intégrante du processus guérisseur. Il existe, par exemple, un grand nombre de remèdes homéopathiques pouvant guérir un même symptôme, précisément parce qu'on choisit le remède en fonction du patient et non de la maladie.

On reproche souvent aux thérapeutes naturistes de rejeter sans cesse le blâme sur le mode de vie, soi-disant déréglé. On craint trop de recevoir leurs admonestations. Un herboriste a écrit dans le journal "The Best of Health": "Nous avons quelquefois besoin d'une maladie, d'une migraine, d'un jour de congé."

Cet avertissement n'est en rien destiné à refroidir vos ardeurs, simplement il vous conseille une attitude réaliste.

Choisir son thérapeute

Une difficulté peut se poser quant au choix d'un-e thérapeute en médecine naturelle, tant à cause de la diversité des thérapeutiques que de la carence de réglementation au niveau de la formation professionnelle, comme il en existe en médecine traditionnelle. À partir de quels critères de sélection doit-on fixer son choix? Comment juger de la compétence d'un-e thérapeute?

Il n'y a pas de réponse précise à ces questions; tout dépend de l'individu. On peut dépenser beaucoup d'argent et de temps avant de trouver les conseils pertinents à son état. Comme on ne peut pas se fier seulement à la réputation et aux diplômes en médecine d'un-e praticien-ne, au même titre, on ne peut clairement faire la part des thérapeutes naturistes compétents et des incompétents. Certains d'entre eux ont une formation insuffisante en médecines alternatives. En vérité, un sondage effectué, il y a quelques années (en Angleterre) par la Fondation Threshold, a révélé que cinquante pour cent des praticiens de médecines douces n'appartiennent à aucune association professionnelle. Malheureusement, un tel sondage n'a jamais été effectué au Canada et encore moins dans la province de Québec. Chaque association essaie, néanmoins, de régulariser les méthodes de formation pour chacune des pratiques dites douces. Pour ce faire, on vise l'émission de certificats d'études de manière à assurer les patients de la compétence du/de la thérapeute. Mais, même à ce niveau, semble régner une certaine anarchie car on voit pousser des écoles, soi-disant compétentes, comme des champignons. Il semble que n'importe qui après avoir été diplômé d'une ou même (parfois) de plusieurs écoles et ce, dans différentes disciplines, se lance dans l'enseignement de ces mêmes disciplines.

Il y a un peu plus d'un an, un petit groupe de thérapeutes lançait l'idée d'une fédération des associations de médecines alternatives: la Fédération québécoise pour la promotion de la santé intégrale prit naissance se fixant comme but de regrouper les associations favorisant la promotion de la santé intégrale et de la prévention de la maladie au Québec.

Cette Fédération s'est fixée onze objectifs intéressants que je me permets de reproduire ici:

a) Favoriser la promotion de la santé intégrale et la prévention de la maladie.

b) Se prononcer et acheminer les prises de position, en solidarité avec les associations-membres, favorisant la promotion de la santé intégrale et la prévention de la maladie.

c) Intervenir publiquement pour appuyer les initiatives visant la promotion de la santé intégrale et de la prévention de la maladie.

d) Faire connaître la liberté de choix du citoyen dans la prise en charge de sa santé.

e) Encourager la recherche scientifique dans le domaine de la promotion de la santé intégrale et de la prévention de la maladie.

f) Favoriser la diffusion et la vulgarisation d'informations touchant la promotion de la santé intégrale et la prévention de la maladie.

g) Travailler de concert avec les associations-membres à l'amélioration de la formation des divers(es) intervenant(e)s dans les domaines de la santé intégrale et la prévention de la maladie.

h) Voir au maintien et/ou à l'amélioration de la qualité des services offerts par les divers(es) intervenant(e)s dans le domaine de la santé intégrale.

i) Travailler à la légalisation des interventions alternatives permettant une approche holistique de la santé.

j) Faire reconnaître l'autonomie du droit de pratique des membres des associations favorisant les interventions alternatives dans une approche holistique de santé.

k) Stimuler la formation d'équipes multidisciplinaires dans les domaines de la promotion de la santé et de la prévention de la maladie.

Si un lecteur désirait plus de renseignements sur cette Fédération, il pourrait s'adresser à l'adresse suivante:

F.Q.A.P.S.I.
Case postale 5308
St-Laurent, Qc H4L 4Z8

Le labyrinthe des médecines douces

"Il y a une bonne vingtaine d'années, la question des médecines douces était relativement simple. On trouvait des naturopathes, bien sûr. Il y avait, évidemment aussi, des chiropraticiens qui subissaient les foudres du "Collège des Médecins" de l'époque, nom corporatif que les médecins ont abandonné depuis mais qu'on entend encore sporadiquement.

Il y avait également quelques physiothérapeutes à l'orientation plus naturopathique. On trouvait de plus quelques herboristes et un certain nombre de praticiens individualistes oeuvrant dans le domaine de la nutrithérapie, entre autres.

Bref, le portrait de ce qui ne s'appelait pas encore les médecines douces était peu compliqué. Mais, progressivement, les acteurs sont devenus plus nombreux. Les chiropraticiens ont obtenu la reconnaissance légale de leur profession. Cette reconnaissance qui fait d'ailleurs, aujourd'hui, l'envie de plusieurs des professions en émergence, ne semble plus pouvoir se répéter à d'autres niveaux. Tout se passe comme si l'autonomie professionnelle était devenue une sorte de maladie honteuse.

De leur côté, les naturopathes ont poursuivi leur petit bonhomme de chemin. Ils se sont reproduits, lentement mais sûrement. Ils ont très largement influencé la société qui leur doit, et on le reconnaîtra sans doute un jour, l'orientation naturiste dans laquelle une partie importante de la population s'est déjà fortement engagée. Ce sont les naturopathes qui ont suscité l'intérêt pour les méthodes naturelles de santé. Les naturopathes sont, pour ainsi dire, les pionniers de cette lutte que mènent, actuellement, de nombreux individus regroupés dans divers mouvements et associations, et qui offrent à la population ce qu'il est convenu d'appeler l'éventail des médecines douces.

Nous sommes donc en face de ce qu'on pourrait appeler un heureux problème de choix. Le terme "heureux" se justifie par la variété disponible; le mot "problème", par la difficulté de s'orienter vers l'une ou l'autre des disciplines offertes.

Loin de moi l'idée de prétendre, cependant, que la naturopathie est à la source de l'éclosion de ce bouquet de techniques et de thérapies qui constitue les médecines douces. Je dis simplement que la naturopathie leur a ouvert le chemin. Les naturopathes ont donné l'exemple: il y avait place pour des approches qu'on appelle, aujourd'hui, holistiques. Il suffisait d'y croire et de les divulguer dans la population avec les mêmes convictions que les naturopathes ont manifesté pour la naturopathie.

Sur le plan des principes de base, il va de soi que la philosophie naturopathique n'est pas nécessairement à la source de l'ensemble des médecines douces. Plusieurs de ces dernières reposent sur des principes qui n'ont strictement rien à voir avec la naturopathie. Qu'on pense ici à l'acupuncture, à l'homéopathie ou à la réflexologie, pour n'en nommer que trois. Ces approches thérapeutiques ont leurs assises propres. Le seul point fondamental, qu'on peut leur trouver avec la naturopathie, est de constituer une forme de médecine appréciée et non toxique.

Penser que toutes les médecines douces reposent sur les mêmes bases est donc une erreur. Ces médecines sont, au contraire, différentes à plusieurs points de vue. Elles n'ont en commun, le plus souvent, que des modalités dites douces, en conformité avec la nature au sens large du terme.

Comment s'y retrouver? Pour le consommateur de soins, il est évident que la diversité des approches thérapeutiques pose un problème. Quel choix faut-il faire? Vers quelle thérapie faut-il se tourner? Le choix est vaste et, du même coup, difficile.

Entre la digitopuncture, l'auriculothérapie, le drainage lymphatique, le massage shiatsu, l'ostéopathie, la polarité, la phytothérapie, le rebirth, la diététique taoïste, l'homéopathie, la naturopathie et combien d'autres encore, que doit-on privilégier? Certes, toutes ces approches ont de la valeur mais il n'est pas possible de recourir à toutes en même temps.

Nous sommes donc en face de ce qu'on pourrait appeler un heureux problème de choix.

Il est bien évident que je suis très mal placé pour aider le consommateur à faire un tel choix. En premier lieu, j'appartiens au milieu naturopathique et, en second lieu, je n'ai pas la prétention de connaître et de maîtriser l'ensemble des médecines douces. Mon opinion sur la question a donc peu de valeur. Cependant, il y a un fait que j'aimerais souligner et qui m'apparaît révélateur.

Plusieurs médecines douces, pas toutes, évidemment, empruntent à la naturopathie. C'est le cas, notamment, pour n'en mentionner que quelques-unes, de la chiropratique, de l'acupuncture et de la phytothérapie.

On sait que la naturopathie base sa thérapeutique sur deux éléments fondamentaux: la nécessité d'apporter à l'organisme l'ensemble des conditions essentielles à la santé (air, eau, aliments, exercice, repos, équilibre émotionnel, etc.) et la nécessité d'épurer le milieu intérieur (désintoxication). Lorsque ces éléments sont réunis, la maladie n'a plus sa place; la guérison se met automatiquement en branle et la santé se manifeste.

L'activité du naturopathe n'a rien de mystérieuse. Celui-ci ne fait, en définitive, qu'analyser les habitudes de vie de son patient pour lui indiquer les corrections qui s'imposent. Il lui apprend à appliquer adéquatement les facteurs naturels de santé dans sa vie de tous les jours. C'est aussi simple que cela et les résultats sont très éloquents.

Mais revenons donc aux fameux emprunts. Existe-t-il un chiropraticien qui ne recommande pas à ses patients certains suppléments alimentaires ou certaines formes d'exercice, en plus de procéder à l'ajustement vertébral? Ce faisant, il emprunte nécessairement aux principes de base de la naturopathie. Je ne lui reproche pas de le faire, bien au contraire; je constate, tout simplement, un fait.

Chez les acupuncteurs, la situation est semblable. L'un des pionniers de l'acupuncture (au Québec) affirmait, dans un écrit officiel, qu'il ne servait à rien de recourir aux aiguilles pour tenter d'obtenir un effet thérapeutique sans procéder, préalablement, à la désintoxication de l'organisme. Il s'agit, ici, d'un emprunt au deuxième élément fondamental de la naturopathie. Ici encore, il n'est pas question de faire des reproches, mais de constater une réalité.

Quant à la phytothérapie, c'est plus flagrant, encore: alors qu'on pourrait s'attendre à ce que l'accent soit mis uniquement sur l'utilisation des plantes, l'ensemble des facteurs naturels de santé est déclaré partie intégrante des principes de cette médecine. À mes yeux, c'est de la naturopathie présentée sous un autre nom. Il n'y a, évidemment, rien de mal à cela; il faut, au contraire, s'en réjouir lorsqu'on croit à la valeur des principes de base de la naturopathie.

On pourrait faire les mêmes remarques pour une foule d'autres approches en médecine douce. L'emprunt massif aux principes de base de la naturopathie honore cette dernière discipline. Mieux que toutes les thèses, il témoigne de la valeur et de la justesse des pratiques naturopathiques. De plus, ces emprunts permettent peut-être de jeter un peu de lumière dans le labyrinthe des médecines douces. Celles qui empruntent le plus à la naturopathie ne seraient-elles pas les meilleures?"

Guy Bohémier, B.A., B.Péd., N.D., Ph.D.

La Liste de contrôle

Afin de vous assurer de la compétence d'un-e thérapeute, suivez les conseils suivants:
*   Demandez au médecin de vous recommander quelqu'un. Un sondage paru dans "Which?" (en Angleterre), révèle que neuf fois sur dix, les patient(e)s ne demandent pas l'avis d'un médecin, persuadés d'essuyer sa réprobation. C'est ce qui se passerait, d'ailleurs, au Québec, dans au moins 95 % des cas. D'autre part, il y a certains généralistes qui démontrent un intérêt pour les médecines naturelles car plusieurs d'entre eux (ou une épouse) y ont eu recours au moins une fois. Il vaut mieux prévenir son généraliste si on fait une thérapie naturelle.
*   Demandez à vos ami(e)s de vous recommander quelqu'un qui leur est venu en aide.

- Choisissez un-e praticien-ne membre d'une association professionnelle. C'est pour l'instant la seule garantie de sa compétence car, généralement, une association sérieuse n'admettra dans ses rangs qu'un individu reconnu compétent. On peut s'adresser au secrétariat de chaque association pour obtenir le renseignement recherché.
- Si vous souffrez d'une maladie particulière, communiquez avec les représentants des diverses associations afin de voir quelle approche pourrait vous être utile.
- Devenez membre d'une association prônant la médecine holistique (comme: "l'Association québécoise pour la promotion de la santé") afin de connaître les diverses thérapies pouvant soigner votre maladie.
- Téléphonez au thérapeute que vous avez choisi afin de savoir s'il a déjà traité quelqu'un atteint de la même maladie que vous. Essayez d'entrer en contact avec d'autres patients et voyez s'ils ont été satisfaits.
- Ne croyez pas au miracle. Le meilleur thérapeute ne pourra, quelquefois, que vous aider à vivre avec votre maladie.
- N'espérez pas une guérison instantanée. Les thérapies douces mettent plus de temps pour agir. Plus on a souffert longtemps, plus le rétablissement sera lent.
- Demandez, dès le début, la liste des honoraires pour les différents traitements et consultations, afin de vous éviter des surprises.
- Consultez quelqu'un qui vous soit sympathique, qui vous écoutera et qui vous motivera en cours de traitement.
- Les thérapies naturelles sont souhaitables pour soulager les maladies chroniques, les maladies restrictives et les maladies affectant le psychisme.

Comment les médecines douces peuvent-elles vous venir en aide?

1. Elles favorisent le bien-être en attirant l'attention sur les conséquences du mode de vie sur la santé (i.e. l'alimentation, l'exercice, le stress).
2. Elles permettent de combattre les maladies chroniques et d'alléger certains troubles plus graves.
3. En cas de maladie, elles permettent la guérison en déclenchant les réactions immunitaires de l'organisme.

4. En mettant l'accent sur la santé plutôt que sur la maladie, elles favorisent une attitude positive envers sa destinée.

LES THÉRAPIES NUTRITIONNELLES

Depuis quelques années, la médecine traditionnelle (certains éléments, seulement) s'est penchée sur le rôle que joue l'alimentation pour la santé. Après la publication de plusieurs rapports sur l'interaction nutritionnelle, elle a commencé à admettre certaines idées qui lui auraient semblé absurdes peu de temps auparavant. Témoignant du long chemin parcouru pour vaincre les vieux préjugés, la prestigieuse publication "The New England Journal of Hospital Medicine" a publié un régime à base d'aliments complets en vogue au paléolithique (âge de pierre).

La Naturopathie

Les naturopathes considèrent la maladie comme une réaction de l'organisme afin de recouvrer la santé. Pour cela, les naturopathes ne cherchent pas à supprimer les symptômes de la maladie. Par exemple, en cas de fièvre, un(e) naturopathe cherchera à vous faire transpirer afin d'éliminer les déchets accumulés dans votre organisme.

Lorsque vous visitez un(e) naturopathe pour la première fois, il vous demandera ce que vous mangez et vous fera ce qu'il appelle une correction alimentaire; puis il vous donnera un guide alimentaire ainsi que de nombreuses recommandations concernant votre diète quotidienne et votre comportement.

Sa devise est: d'abord, ne pas nuire. Pour aider votre organisme à retrouver son équilibre, il vous fera suivre une cure de désintoxication à l'aide d'extraits de différentes plantes et autres suppléments alimentaires appropriés; mais, essentiellement, le naturopathe est un professeur de santé. Le patient est plutôt un élève qui apprend à corriger sa façon de s'alimenter, de boire, de jouer, de faire du sport, bref, à employer correctement les facteurs naturels de santé. En résumé, il vous apprend à vivre en fonction des lois de la vie saine.

De fait, c'est le patient qui fait le plus gros du travail en appliquant, dans sa vie, les conseils reçus lors de ses visites de consultation. C'est le patient qui est l'artisan de sa propre guérison ou de la conservation de sa santé.

Le naturopathe croit que chaque personne possède en elle-même le pouvoir de se régénérer. Si elle est malade, son rôle est donc de la guider vers une situation favorable; de l'aider à trouver les conditions propices à sa guérison. C'est donc le patient, appliquant les connaissances acquises, qui se guérit.

L'Hygiénisme, etc.

L'hygiénisme, le naturisme, le végétarisme, le végétalisme, le véganisme, le fruitarisme, la macrobiotique sont toutes des philosophies qui ont pour but une saine alimentation destinée à garder la santé ou la recouvrer si on l'a perdue. Pour ces disciplines, s'alimenter sainement veut dire ne manger que des aliments sains, les moins chimifiés, les moins carencés possible, en d'autres mots, des aliments complets comme du riz entier, du pain de blé entier, des huiles pressées à froid, des légumineuses, des fruits et des légumes   de culture biologique, de préférence et, finalement, (ce qui suit ne concerne que les naturistes) des viandes d'élevage organique comme du poulet nourri aux grains. Toutefois, il y a quelques petites particularités pour chacune de ces philosophies.

Le Naturiste est omnivore, c'est-à-dire qu'il peut manger viande, poisson, fromage, noix, etc. Il peut aussi ajouter à son alimentation des suppléments alimentaires. Il insiste, cependant, sur la qualité des aliments qu'il consomme.

Le Végétarien ne consomme aucune viande, ni poisson mais il consomme des sous-produits d'animaux comme le fromage, les oeufs, le lait et il peut, lui aussi, ajouter des suppléments alimentaires à son menu. On l'appelle aussi lacto-ovo-végétarien.

Le Végétalien ne mange ni viande, ni poisson, ni les sous-produits d'animaux. Il trouve ses protéines dans les noix, les légumineuses et les céréales. Le végétalien mange des fruits et des légumes.

Le Véganiste ne consomme ni n'utilise de produits ou sous-produits animaux. Son orientation alimentaire s'inspire de préoccupations philosophiques.

Le Fruitarien ne consomme que des fruits et prend ses protéines dans les fruits oléagineux (noix). Il peut aussi ajouter des suppléments alimentaires.

L'adepte de la **Macrobiotique** vise une alimentation à base de céréales entières: riz, blé, orge, sarrasin, millet, etc. (à peu près 50% de son alimentation). Il mange des légumineuses, des algues, très peu de chair animale et peut, parfois, manger du poisson, du poulet organique mais aucun produit laitier si on excepte le fromage de chèvre. Il mange beaucoup de légumes, ne mange que des fruits indigènes et en saison, comme la pomme ou la poire. Il exclut donc les bananes, les oranges, etc. Il ne prend aucun supplément alimentaire.

Voilà donc, grosso modo, la définition des différents systèmes alimentaires naturistes. Par contre, j'appuierai plus particulièrement sur l'un d'eux, l'hygiénisme, en vous présentant ci-dessus un écrit par un de ses plus fidèles adeptes:

L'hygiénisme
L'hygiénisme ou hygiène naturelle est un système de santé basé sur l'utilisation raisonnée des besoins fondamentaux des êtres humains soit: l'air pur, l'eau pure, le sommeil, le repos, l'alimentation adéquate, l'exercice, le soleil, la sexualité, l'estime de soi, les émotions positives, etc. L'hygiénisme n'est pas une thérapie mais un mode de vie.

Dans ce système, on soutient que les facteurs nécessaires au maintien de la santé sont les mêmes que ceux nécessaires pour la rétablir, et seulement ceux-ci.

L'hygiène naturelle nous enseigne que la mauvaise utilisation des facteurs de santé (trop ou trop peu) conduit à un état de toxémie. Cet état est caractérisé par la présence trop abondante de toxines dans le corps. Les toxines sont les substances que le corps ne peut utiliser pour son bon fonctionnement: il doit les rejeter.

La toxémie est la seule maladie tandis que ce qu'on qualifie habituellement de maladie n'est autre chose qu'un effort *dirigé par le corps* pour se débarrasser d'un surplus de toxines. Autrement dit, la maladie guérit le malade de sa toxémie.

On comprendra que, dans ce système, on ne vise jamais l'élimination des symptômes; on cherche à arrêter dans le mode de vie la ou les causes qui ont conduit le corps à se défendre de cette façon.

Dans la même optique, l'hygiénisme ne reconnaît l'action d'aucun médicament chimique ni même de plantes ou d'aliments dits thérapeutiques. Les effets observés de ces substances ne sont que le reflet de l'action du corps sur les toxines qui y sont présentes… pour les rejeter.

Les conseils des hygiénistes sont souvent d'ordre alimentaire; ce facteur étant probablement le plus mal compris et appliqué. L'idéal hygiéniste, dans ce domaine, se limite à la consommation de fruits, de légumes et d'un peu de noix, à l'état cru et dans des combinaisons digestibles. On conseille aussi souvent le jeûne qui est, en fait, une façon d'arrêter plusieurs causes de maladie. En jeûnant, le corps élimine de grandes quantités de toxines.

Le rôle de l'hygiéniste professionnel(le) est d'aider le consultant à trouver les causes principales de sa toxémie. Le praticien est un éducateur et non un thérapeute. L'efficacité de l'hygiénisme ne dépend que de la capacité de chacun de changer pour le mieux, son mode de vie."

Denis Letourneux, hygiéniste-conseil,
directeur de la maison de jeûne Visa-Santé.

La Phytothérapie

La phytothérapie est l'art de soigner par les plantes. Ces dernières sont les merveilles de la nature: elles contiennent tous les éléments vitaux nécessaires pour construire les organes du corps et pour les maintenir en bonne santé. Une fois ingérées, elles s'assimilent très bien grâce à leurs micro-éléments qui réagissent avec ceux présents dans notre corps. Ces micro-éléments passent directement dans notre circulation sanguine après avoir subi une certaine transformation par notre système digestif.

Aujourd'hui, la science et la chimie, travaillant de concert, ont accompli des choses extraordinaires dans plusieurs domaines. Par contre, pas un laboratoire, dans le monde entier, ne pourra jamais reproduire une plante dans son intégrité. Ils ne réussiront jamais à imiter ou à synthétiser les cellules ni les méthodes que la nature emploie dans son oeuvre de construction et de régénération. C'est Thomas A. Edison qui, jadis, a dit: "Jusqu'à ce que l'homme réussisse à faire un seul brin d'herbe, la Nature peut rire de ses connaissances soi-disant scientifiques." Les remèdes créés en laboratoire à l'aide de vitamines et minéraux synthétiques ne peuvent se comparer avec les matières naturelles qui composent les remèdes à base de cellules vivantes de plantes sur lesquelles ont agi les rayons bienfaisants du soleil, la source de toute vie.

Il est vrai que notre corps contient des minéraux et qu'il en a besoin, continuellement, pour construire et reconstruire ses cellules. Ces minéraux essentiels lui parviennent, nécessairement de l'extérieur, par la voie de son alimentation. Notre corps ne peut assimiler directement ces minéraux, à l'état pur. Ils doivent être, d'abord, assimilés par l'animal ou la plante. C'est par leurs racines que les plantes absorbent les minéraux et les transforment pour la construction de leurs cellules et c'est en mangeant la plante, composée de cellules vivantes, que notre organisme peut utiliser les minéraux qu'elle contient car ils sont alors compatibles avec nos cellules. Les plantes nous servent donc d'aliments et de remèdes.

Il en va de même pour les vitamines. Même si elles ne sont présentes dans la plante qu'en infimes quantités, elles sont encore meilleures et plus puissantes que toutes les vitamines synthétiques produites par les laboratoires.

Le corps humain est composé de certains éléments bien définis, dans des proportions tout aussi bien définies. S'il y a surabondance ou carence de ces éléments, une condition morbide s'établit et c'est la maladie qui s'installe. Cette situation (de surabondance ou de carence) ne peut être redressée à l'aide de vitamines ou de minéraux synthétiques provenant d'un laboratoire car le corps ne peut les accepter. Ils ne feront qu'ajouter à la toxémie. Par contre, la situation pourra être redressée par l'apport de vitamines et de minéraux provenant d'aliments et de plantes vivantes. Essayer d'employer du synthétique équivaudrait à essayer de remplir d'eau une passoire.

Les plantes contiennent les éléments vitaux nécessaires pour rétablir l'équilibre vitaminique et minéral de notre corps. En même temps, elles serviront à éliminer les toxines accumulées car elles contiennent des principes essentiels pour le maintien de notre santé.

Les plantes peuvent être mangées, comme les algues, ou bien absorbées en décoction, infusion ou, réduites en poudre, ingérées dans des capsules. On en fait aussi des extraits fluides concentrés ainsi que des sirops. Les remèdes naturels ne sont rien d'autre que ce que la nature produit. Les médications botaniques remontent à l'antiquité et Hippocrate, le père de la médecine naturopathique, les employait dans toute l'étendue de ses connaissances. L'homme les a employées instinctivement: elles sont le Don de Dieu.

LES THÉRAPIES D'APPOINT

L'Aromathérapie

"L'aromathérapie signifie le traitement ou la prévention de la maladie par les huiles essentielles ou thérapie par les essences, exclusivement." R. N. Gatefosse, chercheur contemporain, fut le pionnier de cette discipline et lui donna ce nom. L'utilisation des huiles essentielles remonte à quarante siècles avant notre ère, dans l'Ancienne Égypte. A cette époque de l'embaumement, une huile de cèdre aidait à la conservation des corps et empêchait la putréfaction; des momies, encore actuellement visibles, en sont le témoignage.

Les essences furent longtemps utilisées de façon cabalistique et, à l'origine, des moyens techniques rudimentaires donnaient des produits impurs, chargés de débris végétaux.

Aujourd'hui est né l'art de la distillation. Les odeurs sont toujours présentes dans notre quotidien. Nous connaissons leur pouvoir par le biais du marketing.

Quelle personne ne possède un objet parfumé: jouet, ceintre, et autre? Quel homme n'a reçu, au moins une fois, un mot doux au parfum subtil?

L'aromathérapie connut des heures de gloires durant de très nombreuses années mais un jour, cette thérapie fut supplantée lors de l'apparition des produits de synthèse, des colorants alimentaires et des agents de conservation chimiques. A ce moment, le trésor de la nature fut comme oublié mais, dernièrement, nous assistons à sa renaissance: de plus en plus de fervents adeptes la remettent en faveur et nous font comprendre ses bienfaits.

L'essence, obtenue par différents moyens d'extraction, dont le plus usité est la distillation à la vapeur, signifie "extraire le subtil de l'épais" c'est-à-dire l'extirpation du corps subtil de la plante odorante.

Il existe 800 000 espèces botaniques et toutes ne sont pas des plantes à essence.

Par aromathérapie, on entend l'application thérapeutique des huiles essentielles, ceci se faisant par voie buccale, cutanée et/ou respiratoire, dépendant de l'essence utilisée. Certaines essences, très actives, telle la "Satureja montana" ou sarriette vivace, ne seront que modérément utilisée par voie buccale. encore moins par voie cutanée et jamais inhalées.

La qualité des essences dépend de plusieurs facteurs étudiés en aromatologie ou science des aromes:
1. l'espèce botanique, en latin
2. l'organe sécréteur
3. la spécificité biochimique.

La tige, la racine, la fleur, la feuille, le bouton floral, la graine, la baie, le zeste, l'écorce, le bois et le bulbe sont des parties où l'on retrouve les molécules aromatiques en relation avec l'espèce botanique; car l'organe sécréteur diffère: certains sont internes, d'autres externes, ceci étant vu au microscope électronique.

La spécificité biochimique est la composition chimique des huiles comme les phénols, les monoterpénols, les cétones, les aldéhydes, les éthers, les oxydes, les coumarines, les acides dont l'importance quantitative diffère dans chacune des espèces étudiées.

Cette structure biochimique demande une analyse précise car l'aromathérapie est la médecine atomique de la phytothérapie et les doses, très énergétiques, ne sont utilisées qu'en infimes quantités: l'huile essentielle est le feu de la vie.

En aromathérapie, les corps physique, psychique et spirituel sont liés l'un à l'autre selon leurs ondes vibratoires et sont affectés par les couleurs.

Le corps physique, relié à la terre, représente le système immunitaire et organique, la volonté, l'action, les maladies infectieuses, le son, le mouvement, les vibrations, la couleur rouge.

Le corps mental, relié à l'air, signifie l'intellect, la pensée, le système respiratoire, les scléroses, la lumière, la radiation.

Le corps affectif, relié à l'eau, concerne le coeur, les sentiments, le système nerveux, le système lymphatique, les maladies inflammatoires, la chaleur.

La qualité des essences dépend de la situation géographique de la plante, des conditions météorologiques et du moment de la cueillette. La plante transforme son essence en rapport avec la température ambiante. L'essence est la réserve énergétique du végétal: l'eau travaille sur la matière et le soleil, sur son énergie. La distillation de la plante ne doit se faire qu'après plusieurs jours d'ensoleillement.

La formation et la forme des plantes déterminent le type d'énergie: les feuillus ont un rapport avec le monde magnétique et les épineux, avec le monde électrique.

La souffrance est la conscience de la plante: plus une plante souffre, plus elle émane d'essence, de parfum. Une espèce, recueillie en terrain aride, possède une essence de grande qualité tandis que la même plante, choyée et entretenue, dégagera moins de parfum. La preuve nous en est donnée par les fleurs coupées, conservées au réfrigérateur, chez le fleuriste: elles ne sentent pratiquement rien car elles ont été cultivées en champs linéaires et n'ont pas dû se forcer pour croître.

Les huiles essentielles ont de nombreuses propriétés et peuvent être utilisées de plusieurs façons. En voici quelques exemples:
1. Ajoutées aux crèmes neutres: huiles de massage, lotions, eaux de santé, crèmes de bronzage;
2. Appliquées directement sur la peau et le cuir chevelu;
3. Versées en petite quantité dans le bain, le sauna, le bain tourbillon;

4. Vaporisées dans le salon de coiffure, le salon d'esthétique, le lieu de travail ou tout autre endroit public afin d'en assainir l'air ambiant.

Tout cela pour dire que la maladie vient d'un déséquilibre du terrain et, pour le rééquilibrer, il faut qu'une personne décide de se prendre en mains afin d'effectuer un changement dans les habitudes acquises et l'alimentation. C'est alors que les essences de fleurs et/ou de plantes entrent en ligne de compte et viennent compléter le traitement.

Voilà donc la subtilité de cette thérapeutique traditionnelle et cette approche globale si brève, pourrait être élaborée car ce monde des odeurs, plein de complexité, est un véritable trésor regorgeant de beauté et de pureté encore méconnues de bien des gens."

Mme Maryse Mangin, aromathérapeute

L'Homéopathie

"Le patient qui consulte un homéopathe pour la première fois sera sans doute surpris du déroulement de la consultation. En effet, lui dont l'objet de la visite est une douleur dans le dos, un mal de tête, un rhumatisme tenace ou une fatigue chronique, voilà qu'on l'interroge sur la saison qu'il préfère, sur les saveurs alimentaires (salées, sucrées, amères, piquantes...) qu'il recherche; sur les sensations qu'il éprouve...les besoins qu'il a... et peut-être, par dessus tout, sur le moral qu'il a.

Rarement, une première visite chez l'homéopathe durera-t-elle moins d'une heure. Quelle que soit la raison de la consultation, l'interrogatoire aura pour objet de dresser un bilan énergétique total de l'individu et, à cette fin, aucun symptôme ne sera négligé, aucun détail ne sera laissé pour compte. De fait, assez curieusement, et contrairement à une consultation avec un médecin allopathe, l'homéopathe recherche les détails "bizarres". Le besoin, par exemple, de sortir les pieds du lit lorsqu'on se couche; la peur des microbes ou la peur de monter dans un ascenseur; le désir de sel ou encore la sensation de boule dans la gorge; voilà des indices précieux pour l'homéopathe. Lors de la consultation, tout ce qui sera dit aura une valeur; mais, par dessus tout, les facteurs psychiques auront une importance capitale dans la conduite du traitement.

Il est assez difficile d'ignorer, aujourd'hui, l'importance du facteur émotionnel comme cause des maladies. L'insécurité émotive ou matérielle, le sentiment d'injustice, la peur: peur de l'avenir, du patron, de la maladie..., la sensation d'être incompris ou encore l'impossibilité dans laquelle on se sent d'exprimer une colère... voilà des facteurs primordiaux dans le déclenchement de la maladie.

C'est, du reste, l'ensemble très complexe de ces différents facteurs émotionnels qu'on loge, aujourd'hui, de façon un peu simpliste, sous l'étiquette STRESS.

Mais c'est dans la nature même de l'homéopathe de s'intéresser aux états émotionnels de ses patients. On comprendra donc pourquoi la première consultation sera si longue: elle repose sur une relation de confiance entre le patient et le thérapeute. Cette confiance est nécessaire pour permettre au thérapeute d'aller "au fond des choses", là où se trouve la *cause* du ou des problèmes. Assez paradoxalement, il faut savoir que l'homéopathie ne croit pas qu'il existe véritablement de maladie en tant que telle. Pour l'homéopathie, il existe d'abord des malades. Aussi, l'ensemble de la démarche thérapeutique sera-t-elle axée sur l'individu et non pas sur ses symptômes.

Soigner un malade plutôt qu'une maladie! La nuance est subtile mais importante.

Cette démarche est la conséquence d'une conception particulière de l'être humain, de la santé et de ce que sont les symptômes.

Pour l'homéopathe, les symptômes, quels qu'ils soient (constipation, nausée, vertige, angoisse, fatigue, dépression...), sont un langage. C'est pourquoi il s'agit moins de les faire disparaître que de comprendre ce qu'ils traduisent. C'est cette compréhension du sens, de la signification des symptômes qui mène l'homéopathe à la cause première du ou des problèmes. On comprend donc que *les symptômes ne sont pas la maladie mais sont, au contraire, l'expression des mécanismes de défense de la totalité de l'organisme contre la maladie.*

L'homéopathe considère l'organisme comme une totalité et non plus comme une machine qu'on doit réparer un peu comme on répare une automobile. L'individu est considéré comme un tout. Ce qui implique, naturellement, que tout est relié (coeur, foie, reins, etc.), comme le sont, d'ailleurs, le corps et l'esprit. Cette conception s'oppose à la conception d'un corps morcelé et d'une médecine de spécialisation.

Cette conception de l'UNITÉ fondamentale des différentes composantes du corps/esprit humain n'est pas nouvelle. La philosophie chinoise, dont est issue l'acupuncture, partage cette vision de l'être. On retrouve l'origine d'une telle conception unitaire chez certains grands philosophes de la Grèce antique. Et c'est ainsi, sans surprise, que l'on identifiera l'un des pères de l'homéopathie, le grand médecin grec Hippocrate.

Historique

Hippocrate (460-377 av. J.C.) fut un contemporain de Socrate et de Platon. Bien que l'on se souvienne de lui, aujourd'hui, plus particulièrement pour son apport à la médecine (Les médecins, contrairement aux naturopathes, ne prêtent plus le serment d'Hippocrate), on oublie que toute sa conception de la médecine reposait sur une conception de l'homme, plus encore, sur une conception de l'univers.

Parmi les principes de base qu'on retrouve dans les écrits d'Hippocrate, outre le principe d'UNITÉ prônant l'unité de l'homme et de son milieu, on retrouve la loi des contraires stipulant qu'un mal peut être guéri par son contraire (la dépression, par un anti-dépresseur; une inflammation, par un anti-inflammatoire; etc.) loi qui, on le comprend, est la base de la médecine allopathique.

Mais on retrouve également, chez Hippocrate, une loi qui sera à la base de la médecine homéopathique: la loi des semblables. Cette loi, née de l'observation et de l'expérimentation, implique que ce qui provoque une maladie ou un symptôme peut également le soulager ou le guérir. La vaccination nous a rendu familier avec cette conception des choses. Déjà, dans l'antiquité, on avait été à même de remarquer que certains symptômes d'intoxication provoqués par des substances végétales, minérales ou animales pouvaient se dissiper suite à la prise de ces mêmes substances. Il faudra cependant attendre l'arrivée de Samuel Hahnemann pour voir la loi des semblables s'ériger en véritable doctrine scientifique et thérapeutique.

Samuel Hahnemann (1755-1843) est le fondateur de l'homéopathie. Ce médecin allemand, converti à la traduction à cause du dépit que lui inspirait la pratique de la médecine de son époque (purge, saignée...) est celui à qui nous devons une véritable codification de la méthodologie de la loi des semblables.

En 1790, Hahnemann traduit un article sur l'utilisation de la quinine en médecine. Il est frappé par l'incohérence des explications données de ses propriétés. Confronté à des doutes, Hanemann décide alors d'absorber lui-même une faible dose de quinine. C'est alors qu'il constate que ce remède, réputé pour guérir de la fièvre...lui donne la fièvre.

Hahnemann se lance dans une série d'expériences dont il est le cobaye. Il absorbera ainsi d'autres substances toxiques telles la "digitale", "l'ipeca", "la belladonne", et, invariablement, il constatera que ces substances provoquent, chez un sujet sain, les mêmes symptômes qu'elles sont censées traiter.

C'est ainsi que commencent les premiers inventaires des symptômes provoqués par les substances, inventaires qui constitueront «La Matière Médicale Homéopathique», livre de base du thérapeute homéopathe.

Hanemann énoncera les trois lois qui sont à la base de l'homéopathie dans un ouvrage nommé "L'ORGANON".

Ces trois lois sont d'abord, bien sûr, la loi de similitude qu'il énoncera ainsi:

"Pour guérir une maladie donnée, il faut faire prendre au malade un remède qui, administré à un sujet bien portant, lui donnerait les symptômes de cette maladie."

C'est dire que si la belladonne donne la fièvre à un sujet bien portant, elle soulagera la fièvre d'un malade. Si l'arsenic provoque des symptômes d'empoisonnement alimentaire, elle soulagera les symptômes d'empoisonnement alimentaire.

Découlant de la loi de similitude, la seconde loi est la loi de l'emploi de doses infinitésimales.

Pour éliminer l'effet toxique des médicaments utilisés (songeons à l'arsenic ou encore à certains venins de serpent qui peuvent aussi être employés en homéopathie), Hahnemann expérimenta des déconcentrations successives des produits employés. Il s'aperçut que si certaines conditions étaient respectées (la dynamisation des produits), les substances conservaient et voyaient même leur puissance augmenter par la déconcentration.

A ce sujet, il faut savoir que, dans la plupart des dilutions employées, il ne reste plus aucune trace "matérielle" du produit utilisé. Les multiples expériences de laboratoire faites à ce sujet n'ont jamais manqué, d'ailleurs, de confirmer ce fait. C'est l'une des raisons pour lesquelles l'homéopathie a été tellement contestée: l'emploi de produits dans lesquels il ne reste, en apparence, plus rien. Et pourtant, force était de constater que le produit agissait...tout aussi bien d'ailleurs sur un adulte que sur un bébé de deux semaines ou que sur un cheval!

La dernière des lois sur laquelle insista Hahnemann, fut la loi d'individualisation qui stipulait que: "chacun fait sa maladie à sa façon suivant ses prédispositions morbides et son pouvoir de défense du moment."

C'est la compréhension de ce principe qui porte l'homéopathe à trouver "le produit unique" qui pourra soulager le patient car, pour Hahnemann, tout déséquilibre de "l'Énergie vitale" pouvait et devait être rétabli par la prescription d'un produit mais d'un seul produit.

Ce principe fut assez rapidement contesté par toute une série de successeurs qui donnèrent une dimension "pluraliste" à leur prescription (emploi simultané de plusieurs produits).

Les remarquables succès de l'homéopathie en ont fait une médecine qui, très rapidement, se répandit partout en Europe ainsi que dans plusieurs pays d'Asie et d'Amérique du Sud. L'homéopathie est présentement en pleine expansion aux États-Unis et au Canada."

Jean Lacombe, D.Ac., homéopathe et
directeur du Centre de Techniques Homéopathiques Inc.

La Chiropratique

"Bien que les résultats soient souvent spectaculaires, dans plusieurs affections aiguës, et bien que la chiropratique soit utilisée très souvent, en dernier recours, et avec non moins de résultats, dans les maladies chroniques, alors que toutes les autres méthodes, y compris la chirurgie, n'ont pas donné les résultats escomptés, la chiropratique est assez peu connue au Québec.

En effet, une étude, datant de quelques années, commandée par l'Ordre des chiropraticiens du Québec (l'organisme gouvernemental régissant la profession chiropratique et assumant la protection du public) et effectuée par un organisme de sondage, démontrait que seulement 3 % de la population du

Québec savait ce qu'était la chiropratique. Il existe donc une nécessité et un besoin d'information sur le sujet.

Des milliers de traitements sont donnés chaque année, au Québec, et des millions aux États-Unis d'Amérique. Plus de 620 chiropraticiens exercent leur profession au Québec. Pour avoir le droit de pratiquer la chiropratique au Québec, on doit avoir obtenu son Doctorat en chiropratique d'un collège reconnu par l'Ordre et on doit posséder d'abord un diplôme d'études collégiales avec option en science de la santé. Les exigences des institutions chiropratiques, vu le grand nombre de demandes d'inscription, sont si fortes qu'on accepte en priorité les candidats ayant des qualifications supérieures. On y retrouve beaucoup d'étudiants possédant des maîtrises en science, en biologie, etc. et même des doctorats. Les études chiropratiques sont d'une durée de quatre ans, soit près de cinq mille heures.

La loi, au Québec (loi 250 sur la chiropratique), donne au chiropraticien le droit d'effectuer lui-même l'examen du patient, d'établir un diagnostic et de recommander ou d'effectuer lui-même les traitements. Il est ce que l'on appelle, dans le jargon juridique, un praticien de premier contact (ou de contact primaire); c'est-à-dire que personne d'autre que lui ne peut établir ou dire si un cas ou un malade a besoin de soins chiropratiques. Donc, seul un chiropraticien peut déterminer, avec précision scientifique, si vous devez recevoir des soins chiropratiques.

La plupart des gens pensent que la chiropratique n'est bonne que pour traiter les maux de dos et les maux articulaires. Bien que la chiropratique soit reconnue pour son traitement efficace, sans médicaments ni opérations, des douleurs au dos ou aux membres, il n'en demeure pas moins que de nombreuses maladies, qui ne donnent aucune douleur à la colonne, relèvent des soins chiropratiques. Il ne faut pas oublier que le chiropraticien, en manipulant la colonne vertébrale, renormalise le système nerveux, lequel fait fonctionner tout notre organisme. Ainsi, un nerf irrité par une subluxation de la colonne vertébrale, créera une irritation sur l'organe auquel il est relié.

Si vous avez un problème de santé, surtout à la colonne vertébrale, je vous engage à consulter un chiropraticien lequel, si votre cas ne relève pas de sa compétence, vous dirigera vers un autre professionnel de la santé. La chiropratique, c'est une autre méthode pour conserver ou reconquérir sa santé de façon bien naturelle."

Dr Pierre Des Lauriers, D.C., N.D., D.Ac.

La Myologie, la kinésithérapie, la kinothérapie

"La myologie est une science qui étudie les muscles. Cependant, le terme a pris un sens plus large et il est maintenant utilisé pour représenter les thérapeutes spécialisés en traitements musculaires en profondeur.

Si le terme est relativement récent, dans le monde des médecines douces, il n'en demeure pas moins que les thérapeutes de cette école sont des diplômés de formations plus connues. En effet, chaque thérapeute myologiste est diplômé de trois niveaux de formation: massothérapie, kinésithérapie et kinothérapie; ce qui en fait de véritables spécialistes de tous les problèmes musculaires, ligamentaires et tendineux.

Le but du myologiste peut sembler multiple; mais c'est parce qu'il est global. Le myologiste, par ses traitements, recherche la fin des malaises, un meilleur bien-être physique et mental, une plus grande capacité de mouvements et une relaxation plus profonde. Pour ce faire, il se donne des objectifs, soit: - améliorer la circulation sanguine et lymphatique, ainsi que la qualité musculaire, tout en aidant à l'élimination des déchets organiques et les surcharges de stress par les différents formes de manipulation que lui offre sa formation en massothérapie. - améliorer la flexibilité et le mouvement des articulations, en travaillant au niveau des os, des vertèbres, des ligaments et des tendons par l'utilisation de ses connaissances et de son expérience de kinésithérapeute, lesquelles consistent en l'étude et l'application de différents exercices correcteurs actifs et passifs, de manipulations spécifiques permettant ainsi de corriger les entraves pathologiques ou accidentelles qui limitent l'amplitude normale des membres. - et, finalement, par la kinothérapie qui étudie spécifiquement la musculature superficielle et profonde, le myologiste cherche et dénoue, par des manoeuvres plus ou moins profondes, les points de tensions musculaires qui s'accumulent et qui sont les points de départ de la majorité de nos problèmes corporels.

Pourquoi pensez-vous qu'il est important de s'intéresser à notre musculature? Plus de 80 % de la masse totale de notre corps est faite de muscles. Un muscle contracté, mal oxygéné, est producteur de tensions dont découlent des malaises de toutes sortes. La circulation sanguine devenant alors plus difficile dans ces régions tendues, les déchets organiques s'y accumulent et contribuent à augmenter les malaises et les douleurs.

Les statistiques ont démontré que 90 % de nos maux de dos, de tête, de hanches, les blessures sportives, la surcharge de stress, la fatigue, l'insomnie... sont d'origine musculaire. L'expérience clinique des myologistes a prouvé que ces maux pouvaient être rapidement soulagés par un traitement musculaire en profondeur.

Par ailleurs, l'activité musculaire elle-même produit toutes sortes d'acides et ces acides sont le terrain idéal pour la prolifération microbienne qui ne se propage qu'en milieu acide. Or, c'est la circulation sanguine qui est chargée d'entraîner ces déchets vers les reins qui les élimineront. Si, à cause de contractures, le sang a peine à passer dans les veines et les artères irriguant les muscles et, qu'en plus, il devient incapable de ramasser les déchets musculaires à cause d'un surplus de cholestérol, les problèmes s'aggraveront. Une simple tension musculaire, peut se transformer en douleurs plus ou moins chroniques qui s'installent et produisent alors des incapacités de mouvements et la perte de notre bien-être.

On comprend donc un peu plus l'importance de dénouer ses muscles, de les soulager de leur stress, de leurs points de tension afin de maintenir la circulation sanguine à son maximum. Par contre, le myologiste n'a pas la prétention de pouvoir tout régler lui-même. Il a plutôt comme principe de travailler conjointement avec les autres techniciens et praticiens du domaine de la santé."

Daniel Filion, kinésithérapeute

L'Acupuncture
"Médecine de l'être humain dans sa globalité."

L'acupuncture (du latin acu = pointe, et puncture = piqûre) est l'une des pratiques les plus anciennes de la médecine chinoise. Elle consiste à planter, en des points précis du corps humain, de fines aiguilles métalliques que l'on y maintient pendant un temps donné.

Cette thérapeutique, probablement la plus ancienne du monde, remonte à la préhistoire. Issue d'observations et d'applications empiriques plus scientifiques, elle est directement inspirée par un système philosophique. En effet, l'acupuncture est la projection médicale d'une conception globale de la vie spécifiquement orientale, encore que bien des travaux de la physique moderne occidentale s'en rapprochent de plus en plus. Cette médecine, fondée sur les cycles et les transformations de l'énergie, tire ses principes du TAO.

En Occident, trois siècles de recherches
Le premier ouvrage théorique chinois sur l'acupuncture remonte à 2 500 ans avant J.-C. La documentation publiée depuis est immense. Au XVIIe siècle, des missionnaires français découvrirent l'acupuncture en Chine et lui donnèrent son nom. Vers 1850, des praticiens européens publièrent des travaux relatifs à l'acupuncture. Puis, vers 1934, Soulié de Morant, alors consul de France en Chine, donna une première traduction des principaux traités chinois. Ensuite, grâce aux recherches scientifiques des docteurs Niboyet et de la Fuye, l'acupuncture, étayée par des données précises, prit en Occident l'essor qu'on lui connaît.

La théorie de l'acupuncture
La philosophie taoïste, exposée par Fou-Hi, 3 000 ans avant J.-C., considère qu'il existe un principe commun à toutes les choses et à tous les êtres, une sorte de matière première indifférenciée que l'on considère comme un principe impalpable et universel: L'ÉNERGIE.

Quand l'énergie devient matière inerte ou vivante, elle se différencie en une combinaison alternante et équilibrée d'énergie yin et d'énergie yang.

La santé d'un individu est régie essentiellement par l'équilibre de ces deux types d'énergie. Toute rupture de cet équilibre, quelle qu'en soit la cause, crée la maladie et des troubles de fonctionnement; ceux-ci peuvent être yin ou yang, selon qu'il y a excès ou insuffisance énergétique.

L'énergie, produite par l'ensemble des organes, circule dans le corps suivant des trajets appelés MÉRIDIENS, sur lesquels se trouvent des points. C'est sur ces points que l'acupuncture agit afin de rétablir la libre circulation de l'énergie.

La pratique de l'acupuncture

Une première visite chez un acupuncteur devrait se dérouler de la façon suivante:

- L'acupuncteur interroge d'abord le patient sur sa condition afin de pouvoir établir un diagnostic.
- Suit une inspection complète du corps, avec palpation digitale et enfin un examen des pouls chinois au niveau des poignets. Après ce préambule, il pourra déterminer si l'acupuncture peut, seule ou associée à d'autres techniques, apporter une solution.

Comment agit-on sur les points d'acupuncture?

Des aiguilles indolores (sensations de piqûre de moustique) sont l'instrument de base de l'acupuncture. Faites de différents métaux (or, argent ou acier), préalablement stérilisées, de formes et de longueurs diverses, elles sont placées à des profondeurs variables, sans jamais etteindre les nerfs, les artères ni les veines. Dans certains cas, à la place des aiguilles, on utilise les moxas. Il s'agit d'une plante séchée (armoise), présentée sous forme de cigare. Placée à une faible distance du point d'acupuncture, elle dégage, en brûlant, une chaleur bénéfique. Parfois encore est pratiqué le massage des points (digitopuncture).

Ces techniques exercent une action thérapeutique en favorisant un meilleur équilibre de l'énergie vitale. Chacun de ces points a un effet sur un organe ou une fonction déterminée de l'organisme et agit sur un ensemble de symptômes. L'acupuncture peut être préventive ou curative, selon le cas. En effet, elle peut rendre l'organisme plus résistant aux maladies tant physiques que psychiques. Elle permet également de rétablir l'équilibre en régularisant le métabolisme, en améliorant la respiration, la digestion, l'élimination et la concentration. De plus, en assurant un meilleur fonctionnement des organes, elle se trouve à améliorer le système dans son ensemble.

Les indications de l'acupuncture

L'acupuncture est une science globale qui considère l'être humain dans sa totalité, sans séparer le corps de l'esprit. Nous ne pouvons, sans la minimiser, dresser la liste de ses indications.

Les douleurs: la première grande indication de l'acupuncture est la sédation, souvent immédiate et toujours rapide, de la douleur sous toutes ses formes: algies, névralgies, lombalgies, sciatiques, maux de tête, douleurs articulaires, rhumatismales, arthritiques, etc.

Les troubles fonctionnels: dans 80 % des cas, ces troubles, et particulièrement les troubles digestifs, respiratoires (asthme, sinusite), les allergies (fièvre des foins, maladies de la peau) et les troubles reliés aux organes des sens, peuvent être guéris au moyen de l'acupuncture.

Les troubles cardio-vasculaires: l'acupuncture est particulièrement efficace dans le traitement de certains désordres psychiques mineurs (insomnie, migraine, fatigue générale).

Les maladies organiques: actuellement, la plupart des acupuncteurs occidentaux apportent une contribution appréciable dans le traitement du diabète, de l'artériosclérose, de l'anémie et de l'épilepsie. L'acupuncture résout également les problèmes d'intoxication dus au tabac, à la drogue, à l'alcool, ainsi que les problèmes d'obésité."

Dr Michel Levasseur, D.Ac.

La Réflexologie

"La réflexologie appliquée aux mains et aux pieds est un moyen simple pour une meilleure santé.

Au niveau des pieds et des mains se trouvent des zones réflexes qui correspondent à toutes les parties du corps: la tête située vers les orteils (ou les doigts); le thorax, à l'avant du pied; l'abdomen, au creux du pied; la colonne vertébrale, sur le bord interne du pied.

Le docteur William H. Fitzgerald, oto-rhino-laryngologiste, au Connecticut (U.S.A.), a publié le premier livre sur la réflexologie. Bien qu'il n'existe aucun document officiel, il semblerait que la Chine soit à l'origine de cette technique.

Les zones et points réflexes du pied sont indolores chez le bien-portant mais ils sont très sensibles quand la personne présente une déficience physique ou une douleur. Au fil des traitements, au fil de l'amélioration de sa condition, cette sensibilité des zones du pied va diminuer et même disparaître. Les pieds (et les mains) sont le reflet de nos organes et de nos maladies.

Cette technique ne soigne pas la maladie mais elle apporte une aide à l'organisme qui s'équilibrera de lui-même: selon la nécessité, les glandes, les organes et les systèmes se stimuleront ou se relâcheront.

Ces points et ces zones sont comparables aux boutons d'une machine électronique et le principe de l'électronique fournit l'explication scientifique de la technique. En les stimulant avec nos doigts, une sorte de courant électrique régulateur se propage et conduit jusqu'aux organes. Bien sûr, il n'existe pas de nerfs reliant les organes du corps aux pieds mais notre système nerveux est bien plus complexe que toute machine électronique existante. La réaction produite à distance se fait par l'intermédiaire des relais nerveux multiples existant au sein du système nerveux.

Mais attention: la santé est un tout et il ne suffira pas de manipuler la zone réflexe correspondant à un point douloureux pour obtenir un soulagement. Une séance de réflexologie dure de 30 à 45 minutes et elle passe par tous les points réflexes du pied et donc du corps.

Le premier effet de la réflexologie est la détente et l'équilibre des systèmes avec répercussion favorable sur le sommeil, la fatigue, le moral, la digestion, les tensions de la colonne vertébrale, les douleurs qui se baladent. Le stress intervient dans 80 % des malaises de notre société moderne et bon nombre de personnes "laissées pour compte" et qui doivent vivre avec leurs douleurs, peuvent bénéficier de cette technique."

Pierre L. Gagnieux, réflexologue

Le Shiatsu

J'ai fait appel à une praticienne chevronnée pour vous expliquer ce qu'est cette thérapie qui nous vient de l'Orient:

"Les japonais, passés maîtres dans l'art de la popularisation tant au niveau industriel qu'au niveau des approches alternatives, ont conçu le Shiatsu en s'inspirant de diverses techniques orientales provenant de différents pays tels la Chine, les Philippines, la Corée, le Viet-Nam, etc. La médecine chinoise importée au Japon dans les années 25 à 220 après J.C. marqua le début de la vraie médecine Japonaise (Kanpô). Des écrits très anciens font état de traitements médicaux impliquant le massage (Ankyô/Do'in). Celui-ci prit le nom d'Anma et on en retrouve trace dans un document officiel japonais (code de Taîho) en 701. Après diverses transformations et adaptations de plusieurs techniques telles l'Anma, l'Ankyô/Do'in et le Kanpô, c'est dans les années 1910 que naquit cette thérapie manuelle qu'est le Shiatsu. Reconnu officiellement au Japon comme technique thérapeutique depuis 1955, par le ministère de la santé, le Shiatsu s'est imposé en Occident grâce aux oeuvres de différents maîtres, notamment Tokujiro Namikoshi, Toru Namikoshi, Shizuto Masunaga et Wataru Ohashi. Les approches qu'ils ont présentées sont toujours en pratique et enseignées dans les écoles de Shiatsu, à l'heure actuelle.

Se pratiquant généralement au sol, le Shiatsu s'exerce en appliquant des pressions (atsu) sur les différentes régions du corps à l'aide des pouces et des doigts (shi) d'où le nom Shiatsu. Certaines techniques de Shiatsu favorisent aussi des pressions exercées avec les coudes, les genoux et les pieds. A ces pressions peuvent s'ajouter des frictions, percussions, effleurages, torsions, étirements et mobilisations articulaires. Le tout se pratiquant sur une peau sèche ou par-dessus les vêtements.

Le Shiatsu s'apparente à l'acupuncture (les pressions remplaçant les aiguilles). Cette technique, en fait, suit sensiblement les mêmes trajets d'énergie (méridiens). Cependant, le Shiatsu peut être exécuté sur des régions du corps ou sur des points (Tsubos) étrangers à l'acupuncture selon la pratique ancienne et suivant l'évolution du Shiatsu. Les praticiens en Shiatsu peuvent intervenir sur au moins 666 zones (Tsubos) du corps humain.

Le Shiatsu, nous réapprend que le corps, en soi, compte de multiples facultés qu'il suffit d'éveiller. Il a sa raison d'être par le fait même que les individus ressentent un besoin de reprendre en mains leur santé et leur corps et de ne plus se fier uniquement à la médecine moderne qui a, dans certains cas, un esprit plus curatif que préventif.

Le Shiatsu donne une place à l'intelligence de l'énergie et à son efficacité pour le maintien de l'équilibre naturel. Il respecte les lois de la nature et pressent une capacité de l'individu à l'autoguérison et au maintien de sa santé. Le praticien use de ses connaissances et celles-ci, alliées à une perception de la personnalité du receveur, lui permettent de respecter la particularité de chaque être, consolidant ainsi le lien entre le corps et l'esprit. Le Shiatsu, axé sur la prévention, passe par les voies corporelles pour agir au niveau psychique et spirituel en conformité avec les attentes du receveur.

L'efficacité du Shiatsu dépend surtout de la sensibilité du praticien qui va percevoir, aidé de son instinct, les zones de tension: symptôme de blocage de l'énergie (Ki). Afin d'harmoniser le fonctionnement des systèmes nerveux et hormonal ainsi que celui des organes internes et externes, il va permettre une bonne circulation énergétique en exerçant des pressions à des endroits clé du corps, provoquant ainsi un relâchement des voies d'acheminement bloquées et une stimulation du système nerveux et circulatoire.

Le Shiatsu, favorisant essentiellement une harmonie du corps et de l'esprit et respectant le besoin fondamental du toucher pour l'équilibre psycho-physiologique, a rapidement conquis l'Occident. C'est lors de son apparition au Québec, dans le début des années 1970, que cet art m'est apparu comme étant, parmi toutes les approches corporelles, la plus accessible et la plus digne de correspondre aux attentes de chacun."

Yuki Rioux, directrice du Centre de Shiatsu Yuki Rioux

L'Irrigation colonique

Anatomie du côlon

Le côlon est un organe qui ressemble à un tube. Il commence au coecum, endroit où le petit intestin déverse les résidus alimentaires, et s'étend sur une longueur de 152,4 cm à 167,64 cm, se terminant par le rectum et l'anus. Les parois du côlon sont composées de plusieurs couches de tissus musculaires qui se contractent et propulsent, lentement, le contenu du tube digestif, du coecum vers le rectum: c'est ce qu'on appelle le péristaltisme. La couche intérieure du gros intestin est équipée de nerfs sensibles et de glandes. Ces glandes aident dans les étapes finales de la digestion et de l'assimilation de la nourriture - plus spécialement les minéraux et l'eau - et à l'élimination des déchets de l'organisme.

Lorsqu'une personne est constipée, les parois du côlon sont généralement encrassées par une accumulation de matières fécales provenant de plusieurs mois ou même d'années de blocage intestinal. L'intérieur du côlon peut alors être comparé à un tuyau à eau partiellement obstrué par des dépots calcaires et la corrosion.

Il est donc facile de s'imaginer la raison pour laquelle le côlon ne peut ni absorber ni éliminer proprement. Les aliments y demeurent non digérés. De nombreux comprimés ou capsules laxatifs ont été observés dans un état non décomposés dans les selles. Les déchets, provenant du sang, arrivent à l'intérieur du côlon et ne peuvent suivre leur cours à cause de la couche d'excréments durcis qui bloquent leur entrée: il sont alors réabsorbés dans le corps. Ajoutez à cela les toxines résultant de la fermentation et de la putréfaction des aliments non digérés; il y en a 36 parmi lesquelles on retrouve des poisons tels que l'indole, le skatole, le phénol, le créosol, la putrescine, la cadavérine, la sepsine, etc. Dans les cas de toxémie alimentaire, l'un ou plusieurs de ces poisons baignent constamment les délicates cellules du corps: il peut en résulter une grave maladie.

On a donc constaté que les contractions musculaires ne sont pas capables de faire décoller les matières fécales tassées, accumulées et durcies sur les parois de la dernière partie du canal digestif. Ceci dégénère en stase intestinale qui est le commencement de la constipation.

On comprend, aussi, qu'il ne suffit pas d'un simple lavage du gros intestin pour le débarrasser des matières fécales libres. Si c'était le cas, un simple petit lavement serait suffisant. En clinique, on a observé plusieurs cas où, lors des premières visites, l'intestin ne rejetait que de l'eau claire; par la suite, les matières fécales tassées commencent à décoller et le tube d'inspection de l'appareil colonique commence à se remplir de flocons brisés de mucus et de tissu intestinal et alors, il n'est pas rare de voir une ou plusieurs formes de parasites.

Le mauvais fonctionnement du côlon

Le côlon est un système d'égout. Par négligence et abus, il devient un réservoir septique. Quand il est propre et normal, nous sommes bien et heureux; laissons-le stagner et il distribuera, dans notre sang, les poisons de la décomposition, de la fermentation et de la putréfaction. Ceci empoisonne le corps humain de la façon suivante:

• le cerveau et le système nerveux: ce qui nous rend déprimés et irritables;
• le coeur: ce qui nous rend faibles et instables;
• les poumons: ce qui nous donne une mauvaise haleine;
• les organes digestifs: ce qui nous rend agités et balonnés;
• la peau: elle devient grise, ridée et malsaine;
• les glandes: on se sent fatigué; on manque d'enthousiasme et de désir sexuel; on se sent et on a l'air plus vieux que son âge.

De fait, chaque organe et partie du corps sont empoisonnés. Nous vieillissons prématurément; nos jointures deviennent rigides et douloureuses; nos yeux sont ternes et notre esprit s'engourdit; la joie de vivre disparaît!

Inefficacité intestinale

Malgré le fait que de grandes quantités de laxatifs soient prises par le public, et ce constamment, avec ou sans avis médical ou surveillance professionnelle adéquate (la plupart du temps), la cause réelle de l'inefficacité intestinale est rarement découverte. Ce qui est encore moins compris et/ou apprécié est le résultat pratique de la différenciation des types variés de retard de l'élimination et de la grande variété de symptômes qui en résultent. Ce regrettable état de choses découle de l'un des points de vue suivants:

1. L'acceptation par un public crédule des affirmations de certaines autorités médicales telles que: "Vos intestins comme l'univers vont bien fonctionner si vous ne vous en occupez pas. Ils vont s'ajuster eux-mêmes au corps qu'ils occupent et au genre de nourriture que ce dernier mange".

Logan Clendening, M.D.

2. Une croyance également crédule et inadéquate que la constipation est un symptôme sans importance, facilement soulagée en prenant des laxatifs ou du son ou bien en employant d'autres solutions tout aussi inefficaces pour résoudre le problème réel.

En fait, cette partie du système excrétoire peut être responsable d'une grande partie des maladies chroniques, allant des simples allergies à l'arthrite, des maladies mentales aux maladies de la peau ou même des maladies du coeur au diabète. Rappelons-nous que le cancer du côlon vient au deuxième rang, après les maladies du coeur, comme cause de décès, dans notre société.

Voici donc quelques conseils pour maintenir le système digestif en bon état:

1. Une alimentation adéquate: les sels minéraux, spécialement le calcium, le phosphore et le fer, doivent être présents, en quantité adéquate, pour répondre aux besoins du corps. Les vitamines doivent aussi être présentes en quantité pertinente.

2. Le drainage intestinal: cette question est d'une importance capitale. Si nous voulons que les intestins, et spécialement le côlon, fonctionnent adéquatement, la quantité et le genre de nourriture ingérée doivent être tels que cette nourriture ne devienne pas un fardeau pour le canal digestif. Si le gros de la nourriture ingérée ne taxe pas le système digestif inférieur, alors le côlon fonctionnera plus efficacement.

3. Ne pas répondre "à l'appel de la nature" est aussi une raison pertinente de la constipation. Le fait de ne pas porter attention à cet appel, ou le retard à y répondre, diminuera la sensibilité du stimulus normal qui avertit d'un besoin de défécation.

4. L'absence d'exercices physiques suffisants est aussi un facteur important dans la constipation. Non seulement

cette insuffisance permet-elle aux muscles abdominaux de se relâcher mais cela affecte également les organes internes. Ceci produit donc plus de stress sur les organes d'élimination. Ils doivent donc travailler beaucoup plus fort pour parvenir aux mêmes résultats. Le problème en est amplifié.

5. Le stress et la tension sont les principaux facteurs qui causent la stase intestinale. Il a été dit que la constipation est le plus commun dénominateur dans la maladie et presque 50 % de tout le stress se produit au niveau du système digestif.

Symptômes de constipation

Voici les symptômes de constipation les plus nombreux, énumérés par ordre de fréquence:

- Fatigue
- Gros ventre
- Gaz stomacaux et intestinaux
- Manque d'intérêt dans le travail
- Malaises généraux et le jeu
- Maux de tête
- Névrite et névralgie (maux et douleurs dans différentes parties du corps)
- Irritabilité
- Nervosité
- Nausée
- Perte de mémoire et de concentration
- Dépression
- Obésité
- Enflures des jambes
- Gloutonnerie
- Impotence
- Anxiété et inquiétude
- Problèmes cutanés
- Insomnie
- Mauvaise haleine
- Malaises intestinaux
- Frilosité
- Manque d'appétit

Quand ces infortunés souffreteux finissent par visiter leur thérapeute, ils présentent généralement une histoire d'un ou de plusieurs des maux énumérés ci-dessus et ils en souffrent depuis plusieurs années. Les signes cliniques peuvent inclure:

- Langue chargée
- Abdomen sensible, même rigide
- Mauvaise haleine
- Malnutrition
- Teint jaunâtre
- Mains et pieds froids
- Cernes foncés sous les yeux
- Tension sanguine basse ou élevée
- Odeur corporelle plus forte
- Ongles et cheveux cassants
- Posture affaissée (ventre ballonné)
- Anémie

Maladie de Crohn

C'est une inflammation de la dernière partie de l'intestin grêle qui se manifeste lorsque les matières toxiques du côlon retournent dans l'intestin grêle par la valve iléocoecale (valve régulatrice, à sens unique, c'est-à-dire dans le sens contraire) revenant ainsi dans la partie inférieure de l'intestin grêle: le jejunum. Ceci peut être le résultat de plusieurs causes, entre autres le phénomène "réservoir" qui peut faire s'agrandir l'ouverture et permettre ce phénomène. Les parasites sont une autre cause fréquente.

Lorsque ce contre-courant se produit, la membrane interne délicate du jejunum est sérieusement endommagée. On observe habituellement de petites surfaces érodées; parfois, toute la partie inférieure du petit intestin devient complètement noire. Il se produit une enflure et les intestins rétrécissent et, non seulement on ne peut digérer et absorber la nourriture adéquatement, mais le volume réduit du petit intestin contribue à la stase intestinale et la constipation s'installe en permanence.

La thérapie du côlon

La thérapie du côlon est une méthode de traitement et de guérison très ancienne. Elle n'aurait jamais survécu, dans cette ère scientifique, si elle ne s'était avérée bénéfique.

"Il est curieux de constater que les médecins sont, soit totalement en faveur, soit complètement contre cette thérapie. Il ne semble pas y avoir d'opinions intermédiaires. Ceux qui y sont favorables sont invariablement ceux qui en ont bénéficié; ceux qui la condamnent sont

ceux qui ne la connaissent pas ou qui ne l'ont pas expéri-
mentée."

J.E.G. Waddington.

La plupart des adultes ont un dédain instinctif de leurs
matières fécales. Ceci peut expliquer la raison pour laquelle la
plupart des médecins n'aiment pas examiner les selles de leurs
patients et la raison pour laquelle tant de mauvais états intestinaux ne sont pas diagnostiqués et sont, par conséquent,
négligés. Malgré le fait que ce traitement remonte aux temps
bibliques, il semble encore exister beaucoup d'ignorance au
sujet des bénéfices de la thérapie colonique. Une brève des-
cription de ses bienfaits sera alors très utile.

Les bienfaits de la thérapie colonique
Ce traitement relaxant et reconstituant est plaisant et efficace. La
plupart des gens ressentent un soulagement après le tout premier traitement. Si vous avez déjà été soulagé par un simple
lavement, vous serez enchanté des résultats obtenus par la thérapie colonique. En voici quelques bienfaits:

1. Elle exerce une action nettoyante et solvante dans
   l'intestin, en y délogeant les matières putrides, les
   matières fécales durcies, l'excès de mucus et même le pus
   et les tissus infectés. Cette action produit un côlon propre
   et, par le fait même, un côlon en meilleure santé.

2. La thérapie colonique a une action anthelminthique: ceci
   veut dire que les parasites sont délogés. La pratique clinique m'a permis de constater que 90 % des personnes
   irriguées ont des parasites. Le plus répandu de tous est le
   ver solitaire. Nos techniciens nous rapportent qu'ils en ont
   vu des verts, des bruns, des gris, des jaunes et des blancs
   et, souvent, différents types simultanément. Des patients
   nous rapportent avoir vu, dans le bol de toilette, des morceaux de ver solitaire allant de quelques centimètres à plus
   d'un mètre. Le plus long, qui fut observé, mesurait plus
   de 17 mètres. On y voit aussi plusieurs autres parasites
   tels que des vers blancs, vers de farine, vers fil de fer, etc.
   Les vers solitaires proviennent du porc, du boeuf, du
   poisson. Egalement, plusieurs végétariens ont différents
   parasites. Leurs oeufs peuvent être mangés lorsqu'ils
   dégustent des fruits et des légumes crus. Les vers fili-
   formes, et autres du même genre, peuvent passer à travers
   la peau, surtout si l'on marche nu-pieds dans l'herbe.

3. L'irrigation colonique augmente le niveau de l'eau dans le sang et a une action diurétique. La circulation sanguine est alors augmentée, diluant ainsi les toxines qui sont alors éliminées plus facilement en augmentant le débit de l'urine et de la transpiration cutanée. Les toxines sont aussi éliminées dans les selles. Cette désintoxication permet aux systèmes circulatoire et cardio-vasculaire d'être plus efficaces.

4. En cas d'urgence, l'irrigation colonique pourrait servir à fournir de la chaleur au corps (par l'eau chaude employée): elle sert de stimulant en cas de choc et d'affaissement. L'action nettoyante et la chaleur contribuent à soulager du rhume et de la grippe. Et le plus grand bénéfice de tous est l'action calmante de la chaleur lorsqu'une personne est tendue et irritable. Des rayons-X pris après le traitement ont montré que des côlons spastiques étaient relaxés; il soulage non seulement les spasmes musculaires mais aussi les tissus inflammés, irrités et enflés qui accompagnent toujours cette condition. La chaleur permet aussi de se débarrasser des parasites du côlon.

5. Par ailleurs, les effets du froid peuvent être bénéfiques lorsqu'il est employé physiologiquement. Lorsqu'il y a hyperthermie ou fièvre, le froid peut aider à la réduire. Les tissus enflés et oedémateux peuvent être soulagés. Les côlons flasques et allongés (le gros intestin de plusieurs personnes peut être allongé, parfois, de 0,6 m à 0,9 m) peuvent être corrigés en employant l'eau froide. Les côlons atoniques, accompagnés de gaz et de stases intestinaux, profiteront de ces traitements qui les tonifient et provoquent le péristaltismes. Le froid agit sur eux comme un cholagogue.

6. Plusieurs radiographies de côlons montrent qu'une pression est exercée sur le foie créant une irritation du foie et de la vésicule ainsi que du canal cholédoque. Ceci a pour effet d'obstruer et de retarder la vidange normale et le drainage de ces organes. La thérapie colonique soulage souvent cet état de choses.

7. Certains cas de douleurs précordiales sont aussi soulagés. La tachycardie, l'hypertension et diverses douleurs d'angine peuvent être soulagées par des traitements intestinaux appropriés.

8. La thérapie colonique a sans aucun doute un effet calmant sur les nerfs. La nervosité et l'irritabilité sont beaucoup diminuées. Il devient plus facile de vivre avec ces patients parce qu'ils se sentent en meilleure forme physique et mentale. L'irrigation élimine les toxines du côlon et améliore le fonctionnement du système nerveux. Même la folie peut être diminuée par une thérapie colonique.

9. Un grand nombre de personnes sont obèses. Quelques patients ont pu éliminer de 4,5 à 11 kg en se faisant vider le tract gastro-intestinal. La stase intestinale est responsable de l'accumulation d'une grande quantité de matières fécales dans le côlon et favorise la présence des déchets du métabolisme dans les cellules du corps. Une thérapie colonique adéquate aide beaucoup à éliminer le surplus de poids sans parler de l'impression d'irritabilité, de manque d'enthousiasme des personnes constipées. Malheureusement, ces changements se produisent si graduellement que nous ne les réalisons pas toujours.

10. Divers autres résultats sont aussi obtenus. Certains patients rapportent qu'ils n'ont jamais transpiré jusqu'à ce qu'ils reçoivent un tel traitement. A cause de l'élimination des toxines, la peau devient ferme et en santé. Ces personnes rajeunissent. La mémoire est aussi améliorée.

Un groupe de médecins anglais affirmait, récemment: "La mort commence dans le côlon". Il est possible que la plupart des maladies et des problèmes de santé commencent souvent dans cette partie du corps où des gaz toxiques sont formés par les protéines et autres aliments digérés.

LES THÉRAPIES GESTUELLES

Le Tai chi

Le tai chi est un exercice fascinant dont l'origine remonte à la Chine du 13e siècle. Il a été conçu par le moine taoïste Chung Sam Fung, qui a incorporé une série de mouvements balancés et naturels à sa vaste connaissance de la méditation taoïste, dans le but d'aider le corps à conserver santé et souplesse.

Depuis plusieurs centaines d'années, le tai chi demeure le système d'exercices individuels le plus populaire de Chine et il gagne depuis peu en popularité auprès des Nord-Américains. En effet, de plus en plus de gens s'éveillent aux mérites de ces exercices pour remédier aux maux contemporains causés par le stress et la tension. Différents styles de tai chi se sont développés au fil des siècles. La forme la plus pratiquée au pays est le tai chi taoïste, enseigné au Canada depuis 1970 par Maître Moy Lin Shin, et qui compte plus de 15 000 adeptes en Amérique. Son style s'apparente au tai chi originel de Chung Sam Fung de par sa forme et son approche. L'étirement et la rotation qu'on retrouve dans chacun des 108 mouvements sont des traits caractéristiques de l'enchaînement du tai chi taoïste. L'exécution lente et détendue de la série masse les muscles, délie les tendons et les ligaments. Ainsi, l'adepte parvient à restaurer la souplesse naturelle de ses tissus et à retrouver sa santé d'origine, laquelle s'est détériorée au cours des ans avec l'accumulation de tensions musculaires.

On décrit aussi le tai chi comme "une méditation en mouvement" qui demande une attention totale de la part de l'adepte, ne laissant ainsi aucune place aux soucis du quotidien. Cette relaxation physique et mentale engendre vitalité et apaisement de l'esprit.

Aussi paradoxal que cela puisse sembler à l'observateur non-averti, le tai chi est également un art martial très respecté. Chaque posture de cette série gracieuse possède une structure intégrée qui peut offrir une protection efficace en cas d'agression. Puisque, pour être assimilé, l'aspect martial de cet enchaînement demande plusieurs années de pratique, le tai chi enseigne également la patience, la persévérance et le respect d'autrui.

Le tai chi présente de nombreux avantages à titre de système global d'exercices visant à réduire le stress. Tout d'abord, il peut être pratiqué par des hommes de tout âge, peu importe leur état de santé. L'amplitude de l'étirement et de la mobilité de chaque mouvement peut s'adapter aux capacités de chacun. Ainsi, le tai chi peut devenir un exercice aérobique pour les gens qui sont en pleine forme dès le départ ou une thérapie douce pour ceux qui ont des problèmes de santé. Les exercices peuvent être quelque peu modifiés si l'on manque de flexibilité au début. On favorisera alors des mouvements moins amples, en faisant des petits pas, en étirant moins ou en insérant des demi-pas pour maintenir l'équilibre. En fait, même une personne contrainte à une chaise roulante peut bénéficier grandement du tai chi en pratiquant une version modifiée de l'enchaînement. Dans ce cas et selon son état de santé, l'on peut s'en tenir aux mouvements du tronc et des jambes.

De fait, on reproche souvent à ces exercices d'être trop répétitifs et ennuyeux. Mais c'est toujours un plaisir d'apprendre le tai-chi et un défi de le pratiquer, parce qu'il fait appel autant à l'esprit qu'au corps. D'ailleurs, le tai chi ne met pas un accent disproportionné sur certains groupes musculaires ou n'exige pas d'effort anormal de quelque partie du corps.

Comme on le disait plus haut, la série de base du tai chi taoëste comprend 108 mouvements qui sont enseignés par des instructeurs qualifiés pendant une période d'environ quatre mois. L'étudiant accède ensuite au niveau intermédiaire où il apprend à raffiner ses mouvements et à étudier les principes qui les régissent. Le tai chi devient alors une discipline quotidienne pour la vie. Même après plusieurs années de pratique assidue, l'étudiant y découvre de nouvelles qualités et des dimensions inexplorées.

Une fois que l'étudiant a intégré la série des 108 mouvements de base et qu'il saisit les principes qui régissent les postures, il peut progresser plus avant en apprenant d'autres enchaînements.

Une autre série de mouvements, offerte par la Société de tai chi taoïste, est l'enchaînement du Lok-Up. Le Lok-Up est apparenté au tai chi tout en différant de lui sur plusieurs points de vue. Tout comme la série de base, celle-ci vient de Chine, mais des régions plus nordiques, et a été conçue par un moine taoïste. On y retrouve les mêmes principes de méditation amalgamés en une séquence de mouvements naturels. Les mouvements du Lok-Up exigent cependant plus de souplesse et de contrôle que le tai chi. Ils augmentent le pouvoir de concentration et permettent d'atteindre un niveau plus élevé de coordination, de souplesse et d'équilibre. Pour plusieurs étudiants, le Lok-Up est une initiation aux mouvements internes du tai chi car, éventuellement, le tai chi exerce et masse non seulement la musculature, mais aussi les organes internes. Progressivement, les bienfaits du tai chi sont ressentis de plus en plus profondément dans le corps.

Ce concept des mouvements internes comprend les notions traditionnelles chinoises de santé et d'énergie. Le tai chi autant que le Lok Up favorisent la libre circulation, dans tout le corps, de l'énergie interne, dite "chi". Selon la sagesse chinoise, un corps est en santé lorsque le chi y circule sans interruption et avec équilibre. Bien des problèmes de santé résultent de tensions nerveuses qui gênent la circulation naturelle de l'énergie. Les mouvements d'extension du tai chi taoëste agissent comme un massage pour diminuer la tension nerveuse du corps et rééquilibrer le chi. On peut remédier à plusieurs troubles liés au stress par la pratique du tai chi.

Chaque mouvement du tai chi ou du Lok Up porte un nom. Dans certains cas, ceux-ci se rapportent à la poésie chinoise, dans d'autres cas les noms rappellent les mouvements d'animaux. Dans le tai chi, par exemple, on rencontre "La Grue blanche déploie ses ailes", "Le Serpent blanc darde la langue" ou "Séparer la crinière du cheval sauvage".

Les séries de l'Épée et du Sabre sont d'autres enchaînements offerts par la Société de tai chi taoïste. L'épée comprend un tranchant de chaque côté alors que le sabre n'en a qu'un seul. Tous deux offrent, de surcroît, une plus grande variété de mouvements. L'épée sert à trancher, à fendre et à transpercer et ses mouvements demandent, en général, plus d'amplitude. Comme les étirements du tai chi, ceux de l'épée et du sabre sont engendrés par la rotation des hanches alliée à l'extension de la colonne vertébrale. L'étirement de tout le corps se prolonge jusqu'à la pointe de l'arme.

On dit que par la maîtrise du tai chi, il est possible de contrôler la circulation de l'énergie ou chi, dans son corps. Dans la série de l'épée, cette énergie peut parvenir jusqu'à la pointe de l'arme et lui faire "prendre vie". L'enchaînement de l'épée est très gracieux; tout en étant thérapeutique pour le corps, il est également fascinant à observer.

Comme nous le disions au début, le fondateur de la Société de tai chi taoïste du Canada est Maître Moy Lin Shin qui est venu au Canada de Hong Kong en 1970. Avec ses quelque trente années d'expérience dans l'enseignement de cet art, Maître Moy a immigré au Canada afin d'y ouvrir une école et d'offrir à toute personne intéressée une chance d'apprendre le tai chi taoïste. En plus d'être un maître en tai chi, il est également moine taoïste. La philosophie taoëste fait partie de son enseignement et son école est orientée vers le service à la communauté. La Société de tai chi taoïste est un organisme de charité enregistré et tous ses instructeurs enseignent le tai chi bénévolement afin de diffuser cet art pour aider les gens à améliorer leur santé.

Le texte ci-haut a été écrit en collaboration par des instructeurs de la Société de tai chi taoïste du Canada.

La technique Nadeau

J'ai demandé à un de mes bons amis, qui pratique et enseigne la tecnique Nadeau depuis déjà quelques années, de m'écrire ses impressions et ses expériences; voici sa lettre.

"Mon cher Gilles,

Quand tu me demandes de te parler de la technique Nadeau, je n'ai qu'une crainte: c'est d'en mettre trop, tellement c'est une technique bienfaisante et simple.

C'est par un hasard providentiel que j'en suis venu à la technique Nadeau. Comme tu le sais, je me suis toujours occupé de me maintenir en forme, ce qui ne veut pas dire que j'ai toujours pris les bons chemins. Cependant, maintenant je suis sur une excellente voie.

Pendant 5 ou 6 ans, j'ai fait du jogging, de la bicyclette, du tennis, du golf, etc. Mais tous ces sports, ces exercices, on doit les interrompre de temps en temps, à cause des voyages, des vacances, de la température même. Aussi, j'ai cherché un exercice simple que je puisse faire chez moi, tous les jours, sans équipement. C'est à ce moment que ma soeur Marie m'a envoyé un petit livre intitulé: "Rajeunir par la technique Nadeau" écrit par Colette Maher.

Ce petit livre m'a expliqué comment, chez soi, sans équipement, on pouvait faire, dans un espace de quatre pieds par quatre pieds, un exercice en vingt minutes qui vous tienne en forme. Ça va faire quatre ans bientôt que je fais cet exercice tous les matins et, en janvier prochain, j'entreprendrai ma troisième année d'enseignement de la technique Nadeau.

M. Nadeau m'a dit un jour que sa technique nous change le plus durant la première année, mais que tous les changements se font sur une période de cinq ans.

Il serait trop long de t'expliquer toute la technique Nadeau dans cette courte missive mais Colette Maher l'explique très bien dans son livre cité plus haut. Toutefois, je puis te donner dix bonnes raisons de pratiquer cette technique:

1. Elle ne comporte uniquement que trois mouvements et ils servent pour la vie.
2. Elle n'exige aucun déplacement, se pratique chez soi, en toute saison, sans aucun accessoire.
3. Elle fait travailler le corps ENTIER, de la tête aux pieds. C'est un exercice COMPLET en lui-même.
4. Elle convient aux gens de tous les âges. Ne comporte aucune contre-indication majeure. Forge la volonté, diminue le stress, l'angoisse.
5. Elle s'ajuste à la condition physique et se pratique aussi bien par les gens en moins bonne santé que par les bien portants: c'est le rythme de l'exercice qui diffère.
6. Elle régénère la vue et l'ouie, développe la mémoire, chasse la fatigue.
7. Elle permet une mobilité exceptionnelle de la colonne vertébrale,élimine bien des maux de dos et redonne la souplesse à toutes les articulations.
8. Elle effectue un massage profond de l'abdomen et soulage ainsi certains troubles du foie, de l'estomac, de l'intestin, etc.
9. Elle améliore la circulation sanguine, fortifie le coeur et les vaisseaux, raffermit la musculature.
10. Elle est reconnue par ses adeptes comme hautement BÉNÉFIQUE - SIMPLE - AGRÉABLE. C'est un exercice UNIVERSEL. Aucun autre système n'offre

autant d'avantages. (page 89 du livre: "Rajeunir par la technique Nadeau")

La technique Nadeau se divise en trois mouvements:

Le premier mouvement est la rotation du bassin; le deuxième, est la vague. C'est le principal mouvement de la technique Nadeau: celui qui fait onduler la colonne. Le troisième mouvement imite la natation mais en position debout. Le premier mouvement se fait 300 fois à un rythme de 1 fois par seconde (5 minutes).

Le deuxième mouvement se fait 600 fois à un rythme de 1 par seconde (10 minutes).

Le troisième mouvement se fait 300 fois à un rythme de 1 par seconde (5 minutes).

Ce qui fait 1 200 mouvements en vingt minutes.

Pour parvenir à ce résultat, cette technique demande de 7 à 8 mois d'entraînement quotidien.

Si tu veux pratiquer cette technique, je te recommande donc: 1. de lire le livre de Colette Maher: "Rajeunir par la technique Nadeau"; 2. de t'inscrire à un cours où l'on on enseigne cette technique.

Bien que les mouvements ne soient pas compliqués, je n'ai jamais rencontré quelqu'un qui ait appris la technique Nadeau sans professeur. Mais, le plus difficile, c'est d'acquérir la discipline de le faire tous les jours. Ce qui ne veut pas dire que si on pratique la technique Nadeau 5 jours sur 7 on n'en retire aucun bénéfice; mais, comme on mange tous les jours et on dort tous les jours, on doit faire de l'exercice tous les jours.

En résumé, la technique Nadeau nous fait utiliser tous nos muscles. À ma connaissance, c'est l'exercice le plus simple et le plus pratique pour garder tout le monde en forme car chacun peut le faire chez soi, à son propre rythme.

Jean Julien

LES THÉRAPEUTIQUES DE L'ESPRIT

Les psychothérapies

Les psychothérapies sont, au sens strict, des techniques non médicales (en cela, elles se distinguent de la psychiatrie qui est une branche de la médecine) dont le but est de guérir le patient de problèmes psychologiques comme l'angoisse, la peur, la timidité excessive, le manque de confiance en soi, les difficultés sexuelles, les difficultés de travail, les difficultés de relation avec le conjoint, avec les parents, avec les amis.

Il existe de très nombreuses formes de psychothérapies: *Le Guide des Nouvelles Thérapies* (Marquita Riel, Luc Morisette, *Guide des Nouvelles Thérapies - Les Outils de l'Espoir* - Québec-Science, Presses de l'Université du Québec, 1984), publié au Québec, il y a quelques années, en recensait plus de vingt-cinq. En fait, si l'on voulait les mentionner toutes, on en trouverait des centaines, et presque tous les psychothérapeutes font une synthèse personnelle dans laquelle ils intègrent des éléments venant de diverses techniques. Disons tout de suite aussi que la valeur des thérapies dépend beaucoup de la personnalité et de la compétence du thérapeute, de la confiance qu'il inspire et de la relation que l'on a avec lui, de sorte que la valeur et l'efficacité des thérapies ne viennent pas seulement de la supériorité d'une technique sur une autre. Il est cependant utile de connaître les principales catégories de thérapies.

On peut diviser les psychothérapies en trois grandes catégories:
1. la psychanalyse et les thérapies analytiques
2. les thérapies du comportement, dites "behaviorales"
3. les thérapies humanistes. Cette catégorie, comme nous le verrons plus loin, englobe une multitude d'approches différentes.

1. La psychanalyse
Fondée par Freud, il y a près de cent ans, est la plus ancienne des thérapies et c'est d'elle que sont nées la plupart des autres, notamment les thérapies humanistes. Freud a d'abord pratiqué

l'hypnose, mais il trouvait que les résultats parfois sensationnels de cette technique ne duraient pas longtemps. Plutôt que d'inciter le patient endormi à retourner dans son passé, Freud pensa qu'il valait mieux laisser remonter celui-ci, petit à petit, par association libre, et il demanda à ses patients, étendus comme dans les séances d'hypnose, de dire tout ce qui leur passait par l'esprit. Ainsi remontaient des souvenirs d'enfance, des rêves. Les patients faisaient des lapsus, devenaient euphoriques ou angoissés et exprimaient des émotions d'amour ou de haine envers le psychanalyste. Encore aujourd'hui, dans la psychanalyse dite "classique", on s'étend sur un divan pendant 50 ou 60 minutes, de deux à quatre fois par semaine, pendant plusieurs années. Le psychanalyste s'intéresse aux souvenirs, aux rêves, aux fantaisies, à tout ce que dit son patient (même ce qui paraît insignifiant), et il attache une grande importance à la relation (le transfert) que le patient établit avec lui, parce que le patient vit avec son analyste des émotions qui, en fait, concernent ses parents ou des personnes importantes de son enfance. En revivant, avec son analyste et dans le présent, ces émotions devenues inconscientes, le patient en devient conscient; il re-vit ce qu'il n'avait jamais osé vivre vraiment; il dit des choses qu'il n'avait jamais osé dire, et il comprend, jusqu'à un certain point, ce qui se passe dans son inconscient et qui le rend malheureux ou lui rend la vie difficile.

À la psychanalyse, on peut rattacher la psychothérapie analytique de Jung qui, au-delà de l'inconscient personnel, s'intéresse à l'inconscient collectif, porteur des mythes universels.

2. Les thérapies behaviorales
Se situent à l'extrême opposé de la psychanalyse. Elles ne s'intéressent ni aux rêves ni aux souvenirs, ni aux émotions, ni à la relation de "transfert" entre le patient et son thérapeute. Elles visent à modifier un comportement jugé inadéquat ou socialement inacceptable, grâce à des "renforcements", positifs ou négatifs. Nous employons tous des "renforcements" dans l'éducation des enfants: "si tu es sage, tu auras 5 $"; "si tu échoues à l'école, tu seras privé de télévision". Les 5 $, un "renforcement positif"; la privation de télévision, un "renforcement négatif". Dans les traitements de criminels, d'exhibitionnistes, de pédérastes, on associe une sensation désagréable avec une scène où le patient serait porté à devenir

violent ou pervers. Ainsi, comme dans le film *Orange Méca-nique*, on montre au patient des scènes de violence en lui don-nant des chocs électriques désagréables (renforcement négatif), en espérant qu'il associera, à l'avenir, la violence au désa-gréable. Avec des homosexuels, on a naguère tenté d'associer des émotions désagréables (chocs électriques: renforcements négatifs) à des scènes d'hommes nus et d'associer des émo-tions agréables (musique douce, bon fauteuil, etc.) à des scènes érotiques hétérosexuelles ou à des femmes nues (renforcement positif). On espérait, non sans naëveté, que l'homosexuel associerait, par la suite, homme et désagréable, femme et agréable. Ces formes radicales de modification de compor-tement sont surtout employées avec des criminels qui préfèrent se soumettre à ces traitements, souvent inhumains, plutôt que d'être sans cesse sous le coup de la justice. En éducation, par contre, on a beaucoup recours aux formes douces de modifi-cation de comportement en utilisant, avec les enfants, des ren-forcements matériels (étoile dans le cahier, argent scolaire) et des renforcements sociaux (compliments, tapes dans le dos, sourires, etc.).

3. Les psychothérapeutes humanistes
Aiment dire qu'ils sont la "troisième force" entre la psycha-nalyse et le behaviorisme. Ils estiment, en effet, que la psycha-nalyse demande une trop grande motivation, dure trop long-temps, coûte trop cher et scrute inutilement les profondeurs de l'inconscient sans se soucier de résultats immédiats. La modification de comportement, pour sa part, est, aux yeux des humanistes, trop violente et ne respecte pas la "bonté fonda-mentale" et les possibilités d'autoguérison que chacun possède en lui-même. Ces thérapies dites "humanistes" s'entendent toutes, au-delà de leurs différences, sur le principe (un "postulat". dit Abraham Maslow, le principal théoricien du mouvement humaniste) selon lequel l'être humain est fonciè-rement bon: ses conflits ne viennent pas de sa nature mais des frustrations qu'il a subies au cours de son enfance. Contrai-rement à la psychanalyse, ces thérapies n'analysent pas la rela-tion entre le patient et son thérapeute et elles travaillent plus au niveau des conflits et des émotions du présent qu'au niveau du lien qui existe entre les conflits présents et ceux du passé.

Il existe de très nombreuses formes de thérapie humaniste. Nous en mentionnerons quelques-unes:

- la *thérapie non-directive* de Carl Rogers considère que le patient a tout ce qu'il faut pour se guérir lui-même. Aussi, le thérapeute ne fait-il qu'écouter son patient et refléter les émotions qu'il exprime sans interpréter, sans chercher les causes, sans chercher à dévoiler, à son patient, la constellation où s'inscrivent ses émotions d'aujourd'hui. Si vous lui dites que vous avez envie de tuer tout le monde, il dira: "Je vois que vous êtes en colère, aujourd'hui". A la longue, vous serez guéri...par vous-même.

- la *thérapie gestalt* estime que nos problèmes viennent du fait que nous n'avons pas vécu nos émotions jusqu'au bout, que nous les avons arrêtées en route, par honte ou par peur d'une punition. Il importe donc de vivre totalement ses émotions et le thérapeute va inciter son patient à pleurer autant qu'il en a envie, à hurler, à frapper sur des coussins en imaginant qu'il frappe ses parents, leur crie des injures, leur exprime sa colère, sa souffrance, son désespoir, son désir de vengeance. Une fois vécues à fond, grâce aux encouragements et à la présence rassurante du thérapeute, les émotions paralysantes, qui dévoraient beaucoup d'énergie et faussaient les relations aux autres et à soi-même, vont disparaître d'elles-mêmes, parce qu'elles seront "complètes".

- Le *cri primal* donne aussi une importance primordiale à l'expression des émotions et il va encore plus loin en ce sens que la Gestalt. Dans cette thérapie, en effet, on veut amener le patient à crier toute la souffrance qu'il a ressentie au cours des 5 ou 6 premières années de sa vie. On demande au patient de parler le moins possible, voire, de ne pas parler du tout, de s'étendre par terre pendant plusieurs heures et de retrouver les émotions à l'état pur avant même qu'elles aient été nommées et dites, c'est-à-dire avant même qu'elles soient devenues humaines, intégrées dans l'univers symbolique et langagier qui est le propre de l'homme. On encouragera donc le patient à gémir, à pleurer, à crier. Le fait de vivre ainsi les émotions de l'enfance a pour but de libérer le patient des traumatismes subis au cours des premières années de la vie.

- Le *rebirth* ressemble au cri primal mais il vise surtout à faire revivre les émotions et les angoisses liées à la naissance, considérée comme le premier choc, le premier traumatisme, sur lequel sont venues se greffer toutes les angoisses subséquentes. Pour revivre la naissance, on travaille dans l'eau ou on utilise des méthodes de respiration qui provoquent un "état second" où les émotions deviennent très vives et très intenses.

Malgré leur caractère artificiel, ces techniques sont censées libérer le patient des angoisses profondes de sa naissance et donc, de toutes les autres angoisses.

- L'*analyse transactionnelle* est une thérapie humaniste mais elle ressemble à la psychanalyse dont elle est, en quelque sorte, une version simplifiée qui travaille au niveau conscient et préconscient mais non au niveau de l'inconscient. En analyse transactionnelle, on cherche d'abord quel est l'"état du moi" qui prédomine dans sa vie: est-ce que j'agis habituellement comme un enfant soumis, rebelle ou naturel, comme un parent protecteur ou juge, ou comme un adulte raisonnable et réaliste? Puis, on analyse le fonctionnement des relations (qu'on appelle des "transactions"). Nos façons d'entrer en relation avec les autres peuvent être comparées à des "jeux": j'ai une attitude qui entraîne une certaine réponse de l'autre et qui, sans que j'en sois tout à fait conscient, fait en sorte que la dispute éclate, que la rupture pointe à l'horizon. L'ensemble de mes comportements, de mes jeux, constitue un scénario, et le scénario se déroule selon des "injonctions" plus ou moins conscientes, héritées de mon enfance, et qui font en sorte que ma vie va vers le suicide et la mort plutôt que vers la vie et l'amour. Ainsi, mon scénario peut être dominé par "tu n'es bon à rien", "tu ne feras jamais rien de bon dans la vie", "il faut se méfier des hommes", "ne te laisse pas marcher sur les pieds", etc. Le thérapeute de l'analyse transactionnelle aidera son patient à vivre en adulte, tout en laissant une place raisonnable à l'enfant naturel et au parent responsable. Il l'aidera à découvrir son scénario maladif et les injonctions mortifères qui le sous-tendent. Ces injonctions négatives seront remplacées par des injonctions positives, porteuses de vie.
- La *thérapie de la réalité* ressemble par certains points à la modification de comportement. Elle ne s'intéresse pas en effet aux émotions, au passé, aux rêves, aux motivations, aux "raisons" qui font agir de telle ou telle façon inadéquate. Elle vise à changer le comportement (non conforme aux normes sociales), non pas en utilisant des renfor-

cements, mais en faisant appel à la responsabilité du patient. Le thérapeuthe crée d'abord un lien avec son patient. Celui-ci ressent alors beaucoup d'estime envers cet adulte qui s'occupe de lui, et il se rend compte que cet adulte a une vie satisfaisante parce qu'il est responsable. Grâce à ce lien, le thérapeute peut indiquer à son patient les domaines où il doit être plus responsable et lui faire remarquer que plus il est responsable, plus il s'estime lui-même et plus il est satisfait de sa vie.

- La *bio-énergie* est une thérapie qui travaille à partir du corps; elle estime, en effet, que nos peurs, nos angoisses, notre agressivité, nos conflits, sont inscrits dans le corps: dos voûté, nuque raide, façon de se tenir, de marcher, de serrer la main, de parler, etc. En modifiant ces postures, ces fonctionnements neuro-moteurs, cette thérapie estime modifier le psychique, rejoindre les problèmes psychologiques qui sous-tendent les attitudes du corps. La bio-énergie est souvent pratiquée conjointement avec la Gestalt et elle s'est diversifiée en de très nombreuses "approches corporelles".

- Les *thérapies transpersonnelles* se caractérisent par leur ouverture au spirituel, aux dimensions qui dépassent l'individu et le simple point de vue psychologique. Elles aident à voir, par exemple, qu'au-delà de mes "petits moi" (moi-ouvrier, moi-mari, moi-père, moi-citoyen), il y a un grand Moi, un Soi qui transcende les "petits moi" et qui permet de ne pas se noyer dans les problèmes qui se posent au niveau du "petit moi".

Le champ des thérapies s'élargit constamment. En plus des quelques thérapies que nous venons d'énumérer, il y a, aujourd'hui, les *thérapies par l'art* qui aident les gens inhibés ou fermés sur eux-mêmes à s'exprimer librement, la *zoothérapie*, qui met les patients en relation avec des animaux pour qu'ils apprennent, soit à s'attacher à "quelqu'un" (un chat, un chien) et à en prendre soin, soit à se maîtriser (en faisant de l'équitation, par exemple). Depuis quelques années, il y a même des thérapies à partir des *vies antérieures*, qui nous permettent de mieux comprendre notre vie actuelle.

Les psychothérapies, prises au sens strict, visent à guérir, à résoudre des conflits intérieurs, à soulager de malaises psychologiques. Au sens large, on peut aussi parler de *thérapies de croissance* dont le but est d'aider quelqu'un qui n'a pas de problèmes particuliers à être plus heureux, à avoir de meilleures relations, à vivre plus pleinement sa vie.

On parle aussi de *counseling* pour désigner des rencontres où le thérapeute joue le rôle de conseiller, aide quelqu'un à voir plus clair dans ses problèmes, à trouver des solutions. Contrairement à certaines psychothérapies où le thérapeute reste très silencieux et "neutre", dans le counseling le thérapeute donne son avis, donne des conseils, sans pour autant que le patient soit tenu de les suivre. Habituellement, le counseling s'accompagne d'une dimension thérapeutique dans la mesure où le "conseiller" indique aussi à son client le pourquoi de ses problèmes et essaie de faire en sorte que, lors de la prochaine crise, le client saura se débrouiller tout seul. Les Américains parlent également de *coaching*: comme le coach d'une équipe sportive, le thérapeute est alors très directif. Il dira par exemple: "Si vous êtes vraiment décidé à faire tel ou tel changement dans votre vie, il n'y a pas trente-six manières et voici ce que vous devez faire".

Il y a quelques années, on croyait que seuls les "fous", les "malades", allaient voir un "psy". Heureusement, cette attitude est en train de changer. Le fait de consulter un professionnel pour recevoir de l'aide est un signe de courage et de détermination. Bien des vies, bien des couples, bien des familles, sont sauvés grâce à leur recours à des thérapeutes compétents.

Cependant, plusieurs nous disent qu'il est très difficile de choisir un thérapeute dans cette multiplicité de techniques et de professionnels. Cela est certain et il n'est pas toujours possible d'échapper aux charlatans. Mais cela peut aussi être un prétexte pour ne rien faire.

Ces quelques pages se proposaient de donner un aperçu très vaste et très succint des principales thérapies psychologiques. Pour se renseigner davantage, le lecteur peut consulter le *Guide* mentionné plus haut, qui contient des informations plus détaillées que celles-ci ainsi que de bonnes bibliographies. Il peut aussi s'informer auprès de ses amis qui ont fait une psychothérapie. Il peut, enfin, faire du "magasinage", aller voir quelques thérapeutes avant de décider lequel ou laquelle choisir selon qu'il/elle lui a inspiré davantage confiance et selon qu'il estime pouvoir s'ouvrir totalement et plus facilement à tel ou à telle. Il est aussi bon de se dire que le "thérapeute" idéal n'existe pas dans l'absolu. Ce qui existe certainement, par contre, c'est celui ou celle qui vous convient le mieux, dans l'état actuel de votre évolution.

Une fois la thérapie engagée, il est bon, cependant, de ne pas remettre constamment en question votre choix. Si votre thérapeute vous fait peur, vous énerve, vous enrage, ou si, au contraire, vous êtes follement amoureux d'elle ou de lui, dites-le-lui. Ce sera, peut-être, la première fois de votre vie que vous aurez dit à quelqu'un ce que vous pensez et ressentez vraiment. C'est pour cela que vous le payez!

Pierre Pelletier
Docteur en philosophie (Paris)
Psychanaliste et psychothérapeute

La Thérapie cognitive

C'est une nouvelle thérapie psychiatrique de traitement de la dépression sans l'apport d'aucun produit pharmaceutique. Elle fut récemment mise au point et éprouvée cliniquement par la faculté de médecine de l'Université de Pennsylvanie sous la direction du Professeur Dr Aaron T. Beck, M.D.

La thèse du Dr Beck est très simple et mérite d'être citée. "1. Lorsque nous sommes déprimés ou anxieux, nous pensons d'une manière illogique, négative et, sans nous en rendre compte, nous avons un comportement négatif; 2. un petit effort nous permettrait de redresser nos modes de penser distortionnés; 3. l'élimination des symptômes pénibles nous permettrait de redevenir productif et de reprendre confiance; 4. ces objectifs peuvent généralement être atteints dans un laps de temps relativement bref, à l'aide de méthodes simples."

Et, bonne nouvelle, point n'est besoin de subir une dépression profonde pour éprouver les bienfaits de cette nouvelle méthode. En effet, il est préférable de prévenir les problèmes en faisant une petite "mise au point", de temps à autre.

Vous trouverez tous les détails de cette merveilleuse autothérapie dans le livre du Dr David D. Burns "Etre bien dans sa peau" (voir bibliographie).

L'autorelaxation

Il s'agit d'une méthode de relaxation dont l'efficacité est reconnue depuis longtemps. Selon le Dr Malcolm Carruthers, l'un des pionniers en ce domaine, elle consiste en "...une série d'exercices mentaux destinés à faire abstraction des mécanismes de défense pour se concentrer sur la détente et la récréation." On affirme que l'autorelaxation est efficace pour ceux qui veulent cesser de boire et de fumer, pour contrer la dépression, la tension, l'hostilité, ainsi que pour se libérer des tranquilisants, des somnifères et des barbituriques.

La Méditation

Lorsqu'on mentionne le mot méditation, il nous vient aussitôt à l'esprit la vision d'un moine bouddhiste assis en tailleur, les yeux fermés, les deux mains en supination, le pouce et l'index joints, appuyées sur ses genoux et ne bougeant surtout pas. En réalité, il existe plusieurs formes de méditation. On peut, tout simplement, se concentrer sur une image, un objet. On peut aussi méditer en lisant de la poésie. Si on en possède la technique, on peut se servir de son corps en pratiquant le tai-chi, par exemple.

Il est certain que la méditation a, sur notre corps physiologique, certaines répercussions. Les vrais yogis parviennent à contrôler leur tension artérielle, leurs pulsations cardiaques et autres fonctions corporelles durant le temps qu'ils méditent. Récemment, on a appris que la méditation influence notre système immunitaire. Voilà qui expliquerait pourquoi on lui attribue la prévention et même la guérison de certaines maladies.

Un proverbe populaire nous dit que c'est en forgeant que l'on devient forgeron; c'est aussi en méditant qu'on devient plus sûr de soi, plus énergique et plus enthousiaste: on voit la vie en rose. Par contre, il ne faut pas s'attendre à des résultats instantanés: il faut surtout persévérer. À force de méditer, on sent son intellect s'éclaircir et on a, parfois, comme des éclairs de génie. C'est alors que commence le vrai travail: modifier ses perceptions, ses sentiments et son comportement graduellement afin qu'ils correspondent à notre compréhension des choses.

Je vous offre ici, en terminant, un programme de contrôle du corps par la méditation.

1. Chaque jour, et plusieurs fois par jour, il faut faire quelques minutes de méditation. Répétez-vous les mots suivants: "Ne bouge pas et reconnais que je suis Dieu". Il faut répéter ces mots plusieurs fois afin que notre esprit soit calme et ne vagabonde pas. Ayez soin de fermer les yeux.

2. Alors, visualisez comme un lac spirituel s'étendant de chaque côté de vos tempes et embrassant le monde entier. Puis, mentalement, immergez vos soucis, vos craintes et vos anxiétés dans ce lac jusqu'à ce que la surface vous en apparaisse calme comme un miroir. Maintenant, représentez-vous votre esprit comme étant la surface de ce lac, comme un miroir reflétant le ciel bleu et le soleil éblouissant.

3. Respirez de dix à quinze fois en répétant la méditation suivante (silencieusement ou à haute voix): "Je suis calme et immobile. Mes problèmes et mes inquiétudes sont maintenant submergés dans le lac cosmique où ils sont dissouts et retournent à leur néant. Je suis serein au milieu des inquiétudes de la vie et, maintenant, mon esprit reflète la lumière éblouissante de la Présence Infinie de Dieu. Je suis au milieu du cercle magique de l'amour, de la paix et de la beauté et je suis libre, libre, libre."

4. Si vous souffrez d'une incapacité physique et que l'un de vos organes est affecté, entrez en méditation et dirigez votre intelligence et votre sang vital vers cet organe, le guérissant parfaitement. Si ce sont vos oreilles, dites à votre intelligence supérieure: "Fais circuler mon sang dans mes oreilles y transportant la force de la vie et les guérissant parfaitement."

   Si ce sont vos reins ou votre vésicule biliaire ou votre estomac, employez la même technique mais en changeant les mots pour répondre à vos besoins. Vous n'avez pas besoin de savoir où se trouve chaque organe car votre intelligence supérieure connaît leur emplacement et y dirigera toute la force vitale que vous voulez y envoyer.

5. Si c'est une mauvaise habitude que vous voulez détruire, employez la même technique que je vous ai enseignée dans un chapitre précédent.

Si c'est un problème d'alcoolisme, entrez en méditation et répétez les phrases suivantes: "Je réalise que boire à l'excès est dommageable pour ma santé. Je désire perdre le goût pour l'alcool. Je sollicite maintenant mon intelligence supérieure de me faire perdre tout amour de l'alcool sous toutes ses formes. Si je prends un verre, j'en trouverai le goût déplaisant et je le déposerai aussitôt."

Si c'est un problème de jeu, asseyez-vous pendant environ quinze minutes et répétez les phrases suivantes: "Je sais que le jeu est destructif et non productif. Tu n'obtiens rien pour rien, dans la vie. Je demande maintenant à mon intelligence supérieure de me débarrasser de mon amour du jeu."

6. Pour élever votre niveau d'énergie corporelle et combattre la fatigue et le vieillissement, entrez en méditation et élevez-vous mentalement à de hauts niveaux de créativité en vous voyant faire les choses que vous désirez faire telles que la natation, la danse, le tennis ou le golf. Donnez à votre intelligence supérieure des commandements tels que celui-ci: "La force vitale coule à travers mon esprit et mon corps et me donne la jeunesse, l'énergie et une surabondance de vitalité. Je commande, maintenant, aux centres de mon intelligence supérieure de faire couler la vitalité de la jeunesse à travers tout mon corps. Je suis sans âge et le temps ne compte pas et mon âme est immortelle. Je vivrai jusqu'à cent ans en pleine possession de toutes mes facultés afin de pouvoir jouir de la vie jusqu'à la dernière minute."

BIBLIOGRAPHIE

"Vivre en Santé après 40 ans" - Gilles A. Bordeleau, N.D., Guy St-Jean Éditeur, Laval.

"Les Vitamines" - Dr Michael Colgan, Libre Expression, Montréal.

"Les Vitamines" - Raoul Lecoq, G. Doin & Cie, Paris.

"One Man's Food..." - Dr James Adamo et Allan Richards, Health Thru Herbs Inc., Toronto.

"Vitalitus" - Les Éditions Santé pour Tous, Montréal.

"Better Nutrition" - Communication Channels Inc., New York.

"Guide Ressources" - SWAA Communications Inc., Outremont.

"Whole Body Healing" - Carl Lowe & James W. Nechas, Rodale Press, Emmaus.

"Maximum Personal Energy" - Charles T. Kuntzleman, Ed.D., Rodale Press, Emmaus.

"Nouveau Dictionnaire Médical" - Larousse, 1986.

"The Practical Encyclopedia of Natural Healing" - Mark Bricklin, Rodale Press, Emmaus.

"Ce que les pieds ont raconté grâce à la réflexologie" - Eunice D. Ingham, Guy St-Jean Éditeur, Laval.

"La Vitamine C contre le cancer" - Dr Ewan Cameron & Linus Pauling, Édition l'Étincelle, Montréal.

"Proven Herbal Remedies" - John H. Tobe, Provoker Press, St-Catharines.

"Dictionnaire des Termes Techniques de Médecine" - Garnier & Delamare, Librairie Maloine S.A., Paris.

"Man & Woman" The Encyclopedia of Adult Relationship - Greystone Press, New York, Toronto, London.

"La Santé à la Pharmacie du Bon Dieu" - Maria Treben, Wilhelm Ennsthaler, éditeur, Steyr (Autriche).

"Dictionnaire Homéopathique" - Louis Pommier, édition Maloine, Paris.

"Auto-guérison de l'hypoglycémie par le Système hygiéniste" - Dr Frank Sabatino, D.C.

"Rhumatismes et arthrites" - Dr André Passebecq, N.D., Collection Santé Naturelle, éditions Dangles, Paris.

"Vaincre l'arthrite" - Gilles Parent, N.D., Éditions Libre Expression, Montréal.

"L'arthrite: une souffrance inutile?" - Yvan Labelle, N.D., Éditions Fleurs Sociales, Montréal.

"La Médecine Physique" - Jacques Marcireau, Paris.

"Statistiques (1987) et autres faits" - L'Association Pulmonaire du Québec, Montréal.

"Feuillets publicitaires 1987-1988" - La Fondation du Québec des Maladies du Coeur, Montréal.

"Artherosclerosis: Conjectures, Data & Facts" - Dr Kurt A. Oster, M.D., Nutrition To-day, Nov./Dec. 1981, U.S.A.

"Statistiques" - Fondation de Recherche sur le SIDA Québec Inc., C.P. 245, Station Place du Parc, Montréal, Qc. H2W 2N8.

"Healing AIDS Naturally" - Laurence Badgley, M.D., Human Energy Press, San Bruno, CA.

"Vitamin C in the treatman of AIDS" - Robert F. Cathcart, San Mateo, CA

"Feeling good" - Dr David D. Burns, M.D. - William Morrow & Co. Inc., New York.

"Etre bien dans sa peau" (traduction de "Feeling good") - Édition Héritage Amérique, Montréal.

TABLE DES MATIÈRES

DEUXIÈME PARTIE

TROISIÈME PARTIE

QUATRIÈME PARTIE